Padre Pio

Gianluigi Pasquale

Padre Pio

As cartas do santo de Pietrelcina

Paulinas

Dados Internacionais de Catalogação na Publicação (CIP)
(Câmara Brasileira do Livro, SP, Brasil)

Pasquale, Gianluigi
  Padre Pio : as cartas do santo de Pietrelcina / Gianluigi Pasquale; [tradução Débora de Souza Balancin. — 2. ed — São Paulo : Paulinas, 2009. — (Coleção testemunhos de santidade)

  Título original: Padre Pio : vittima per consolare Gesù : le lettere del santo di Pietrelcina; Padre Pio : le mie stimmate
  Bibliografia

  ISBN 978-85-356-1836-5

  1. Espiritualidade 2. Pio, de Pietrelcina, Santo, 1887-1968 - Correspondência I. Título. II. Série.

09-00359   CDD-248.22092

Índice para catálogo sistemático:
1. Cartas : Santos : Igreja Católica : Cristianismo 248.22092

Títulos originais da obra:
Padre Pio: Vittima per consolare Gesù
e *Padre Pio: Le mie stimmate*
© Edizioni San Paolo s.r.l. - Cinisello Balsamo (MI), 2002.

Direção-geral: *Flávia Reginatto*
Editora responsável: *Celina H. Weschenfelder*
Tradução: *Débora de Souza Balancin*
Copidesque: *Rosa Maria Aires da Cunha*
Coordenação de revisão: *Andreia Schweitzer*
Revisão: *Patrizia Zagni e Alessandra Biral*
Direção de arte: *Irma Cipriani*
Gerente de produção: *Felício Calegaro Neto*
Capa: *Manuel Rebelato Miramontes*
Editoração eletrônica: *Flávio Augusto Vieira*

2ª edição – 2009
8ª reimpressão – 2024

Nenhuma parte desta obra poderá ser reproduzida ou transmitida por qualquer forma e/ou quaisquer meios (eletrônico ou mecânico, incluindo fotocópia e gravação) ou arquivada em qualquer sistema ou banco de dados sem permissão escrita da Editora. Direitos reservados.

Cadastre-se e receba nossas informações
www.paulinas.com.br
Telemarketing e SAC: 0800-7010081

Paulinas
Rua Dona Inácia Uchoa, 62
04110-020 – São Paulo – SP (Brasil)
📞 (11) 2125-3500
✉ editora@paulinas.com.br

© Pia Sociedade Filhas de São Paulo – São Paulo, 2006

À Giovanna Barban (*1944), que, dentre todos,
amo mais, pois é para sempre a minha mãe.

A frade Sisto Zarpellon (*1931),
que me disse: "Se quiseres...".
A partir de então,
tudo tem sido maravilhoso!

PREFÁCIO

"[...] sois uma carta de Cristo [...]" (2Cor 3,3).

Nós, que temos a graça de crer em Cristo, revelador do Pai e Salvador do mundo, temos o dever de mostrar à qual profundidade chegar a relação com ele. A grande tradição mística da Igreja, tanto no Oriente quanto no Ocidente, pode dizer muito a propósito disso. Demonstra como a oração pode progredir, como verdadeiro e próprio diálogo de amor, a ponto de tornar a pessoa humana totalmente possuída pelo Amado divino, vibrante ao toque do Espírito, filialmente abandonada no coração do Pai. Tem-se, então, a experiência viva da promessa de Cristo: "[...] quem me ama será amado por meu Pai, e eu o amarei e me manifestarei a ele" (Jo 14,21). Trata-se de um caminho inteiramente sustentado pela graça, que pede, contudo, forte empenho espiritual e conhece também dolorosas purificações (a "noite escura"), mas se aproxima, nas diversas formas possíveis, à indizível alegria vivida pelos místicos como "união esponsal".

Essas afirmações, contidas na carta apostólica *Novo millennio ineunte* (n. 33), de João Paulo II, iluminam bem o intento desta nova edição das cartas de padre Pio de Pietrelcina, compiladas de acordo com os temas, a fim de torná-las acessíveis a um público mais vasto. Nelas desponta clara a sua personalidade intensa e, diremos, tragicamente espiritual e o propósito principal de sua existência de cristão e de religioso capuchinho, isto é, desfazer, o mais possível, com o amor e a oferta de si, a diferença existente entre Deus criador e as muitas criaturas que se acham distantes dele.

Padre Pio é uma figura que cria em torno de si um consenso quase universal; pelo poder e pela clareza de sua experiência religiosa, ele pede que as almas, através de Jesus, se dirijam a Deus e às realidades eternas. Mais ainda que o sinal dos estigmas, são a sua pessoa e a sua mensagem a lembrar explicitamente aquilo que afirma o Concílio Vaticano II (1962-1965) a respeito dos "sinais dos tempos". O Concílio indica alguns pontos que mais diretamente atestam a presença de Deus no mundo e o seu plano de salvação para o ser humano. Em particular, há que recordar: a santidade pessoal do crente, que testemunha a novidade do Evangelho, e a caridade como marca do verdadeiro discípulo de Cristo (*Lumen gentium*, 39-42); a necessidade do sofrimento e da cruz para a salvação e para quem busca a paz e a justiça (*Gaudium et spes*, 38); o martírio como sinal supremo do amor e da coerência pelo ideal de vida (*Lumen gentium*, 42); o respeito da dignidade do ser humano (*Gaudium et spes*, 63-72); a busca da paz (*Gaudium et spes*, 77-90).

Para quem pôde ler toda a série de testemunhos apresentados no desenvolver do processo de canonização, não resta dúvida de que padre Pio caracteriza significativamente a santidade do século XX, justamente por ter sabido mediar o anúncio do Evangelho eterno dentro dos sinais dos tempos elencados pelo Concílio. Por essa razão, essencialmente, multidões de crentes, mas também de não crentes e de curiosos, vão hoje ao sepulcro do frade capuchinho, provenientes dos percursos existenciais mais impensáveis e das mais diversas ideologias. A sua existência tem algo de inacreditável; contudo, traça um itinerário de vida cristã possível para qualquer um: um itinerário que, para crentes e não crentes, realiza o plano de Deus de chamar todos ao conhecimento da verdade e à salvação.

Ao apresentar esta obra dedicada às cartas de padre Pio, por ocasião da canonização do estigmatizado de Gargano, eu, com o curador das cartas, agradeço, em particular, ao reverendíssimo padre Gerardo Di Flumeri, ofm cap., incansável e competente vice-postulador da causa, por ter concedido a autorização para reproduzir as cartas, abrindo, assim, ao grande público uma autêntica mina de espiritualidade que, de certo modo, está começando a ser explorada. Meu desejo é que esta obra desperte em todos aqueles que a lerem a vontade de dar um passo na direção certa para conhecer a beleza autêntica de padre Pio.

Roma, 31 de março de 2002, Páscoa da Ressurreição
FLORIO ALESSANDRO TESSARI, ofm cap.
Postulador-geral dos Frades Menores Capuchinhos

Parte I
OS MEUS ESTIGMAS

INTRODUÇÃO

HOMEM MARCADO PELO AMOR

Sinal da permanência da profecia

O dom dos estigmas em padre Pio de Pietrelcina (1887-1968) pertence, indubitavelmente, ao carisma profético, o qual "deve permanecer em toda a Igreja até a vinda final" (Eusébio de Cesareia, *Historia ecclesiastica*, V,17,4). Como para o primeiro estigmatizado da história, que foi Francisco de Assis (1181-1226), também para este seu filho sacerdote o sinal físico dos estigmas representa, dessa perspectiva, dois caracteres inseparáveis. Com o primeiro, os estigmas testemunham que, na história da Igreja, o dom profético nunca falhou e jamais o fará. O segundo evidencia que, como sinal de conversão, o ato antropologicamente mais qualificador é o do abandono a Deus mediante a própria fé.

Aquele que interpreta profeticamente os estigmas de padre Pio, assim como os de Francisco de Assis, ou os da monja clarissa capuchinha santa Verônica Giuliani (1660-1727), o faz sabendo muito bem que Deus fala na história mantendo unidos palavra e sinal. Jesus, que é o revelador em plenitude de Deus Pai por meio do Espírito Santo, nos estigmas recebidos com os cravos, na cruz, e com o ferimento da lança no peito, inicia esse modo que Deus tem de sinalizar a Palavra encarnada, quando esta se revela plenamente em seu único Filho e, somente pela graça e pela sua misericórdia, também nas criaturas sinalizadas desde o dia do seu batismo. Se os estigmas de padre Pio são, portanto, um sinal da profecia do Novo Testamento, não são postos sob a capa opressora de um mero conhecimento dos acontecimentos futuros, dos vaticínios, mas, visto serem sinal, são ainda para o cristão de hoje uma palavra de conforto, de confiança e de esperança.

Padre Pio foi um frade capuchinho do século XX; morreu três anos após o encerramento do Concílio Vaticano II (1962-1965), que, neste sentido, vem profeticamente em auxílio à nossa fraqueza e, para quem ainda tem olhos capazes de ver e contemplar, permite observar, no poder da fé, da esperança e da caridade, o ato que nele já está presente e operante. Por essa razão, precisamente, padre Pio é seguido em todo o mundo por inumeráveis multidões que, agora, é difícil calcular. Assim como Francisco de Assis e Verônica Giuliani, ele encarnava a espiritualidade franciscana, mas, como revela claramente esta coleção de seu *Epistolário*, viveu o inesperado e sofrido dom dos estigmas como autêntico sacerdote. Com apenas 31 anos, de fato, recebeu esse sinal de amor de Jesus crucificado, sendo já sacerdote havia oito anos e religioso capuchinho havia 15. Na história da Igreja, ele é, até agora, o primeiro sacerdote estigmatizado.

O crucifixo de 20 de setembro de 1918

Padre Pio nasceu em Pietrelcina (Benevento), em 25 de maio de 1887, sendo filho de Grazio Maria Forgione e Maria Giuseppa

Di Nunzio. No dia seguinte, foi batizado na igreja de arcipreste de Santa Maria degli Angeli, com o nome de Francesco. Em 22 de janeiro de 1903, vestiu o hábito de capuchinho no noviciado de Morcone e mudou o nome de batismo, naquele dia, para Pio de Pietrelcina. Em 22 de janeiro do ano seguinte, foi admitido na profissão temporária dos três votos religiosos de pobreza, castidade e obediência; quatro anos depois, segundo as normas canônicas então vigentes, emitiu a profissão perpétua na Ordem dos Frades Menores Capuchinhos. Concluído o curso curricular dos estudos de teologia, com algumas breves interrupções por causa de problemas de saúde, foi ordenado sacerdote no santuário dos canônicos da Catedral de Benevento, em 10 de agosto de 1904. Depois de uma breve permanência em vários conventos, foi definitivamente transferido para o de San Giovanni Rotondo (Foggia), onde permaneceu ininterruptamente por 52 anos, até a morte, sobrevinda em 23 de setembro de 1968.

Na manhã de 20 de setembro de 1918, aos 31 anos, padre Pio foi marcado, mediante impressão física, pelo dom dos estigmas. Era uma manhã de sexta-feira, dia em que Jesus foi crucificado; tudo aconteceu das nove às dez horas. Como se lê claramente nas cartas aqui publicadas, o fenômeno dos estigmas foi precedido pelo da transverberação, isto é, pelos estigmas invisíveis nas mãos e no peito. Na noite de 5 de agosto de 1918 — portanto, pouco mais de um mês antes da verdadeira estigmatização física no corpo —, padre Pio foi ferido por um misterioso personagem enquanto confessava garotos na igreja. Atingido por uma longa lâmina de ponta de fogo, sentiu a dor que os místicos, como são João da Cruz (1542-1591), definem como o "assalto do Serafim" e teve que se retirar com dificuldade, devido a fortes dores que duraram até a manhã de 7 de agosto. Ficou na cama, escondendo de todos a verdadeira causa de seu sofrimento. Somente mais tarde declarou que foi ferido fisicamente no peito.

Para quem é crente, a data de 20 de setembro de 1918 assume conotações cronológicas inteiramente singulares. Pouco depois, a grande guerra do século XX terminaria, colocando fim a enorme derramamento de sangue, enquanto haviam passado apenas três dias da festa litúrgica do surgimento dos estigmas de são Francisco, que se celebra em 17 de setembro. Também sete séculos antes, de fato, são Francisco, em oração sobre o monte Alverne, na Toscana, em 14 de setembro de 1224, pediu duas graças: sentir na alma e no corpo a dor de Cristo na cruz e sentir em seu coração aquele imenso amor que fazia suportar com prazer a Paixão e a Morte pela salvação dos seres humanos. Naquele momento, nas mãos e nos pés do Pobrezinho de Assis, começaram a aparecer os sinais dos cravos, do mesmo modo que ele havia então visto no corpo de Jesus crucificado, assim como uma ferida no peito. Seguindo a descrição da carta 1, que aqui abre o *Epistolário*, observa-se que o mesmo fenômeno ocorreu também com padre Pio. Na manhã daquele 20 de setembro, o convento estava mais deserto que de costume, completamente vazio. O guardião estava em San Marco in Lamis, para preparar a Festa de São Mateus apóstolo. Frade Nicola, o mendicante, estava fora para o seu passeio com os alforjes. Restava somente padre Pio. Terminada a missa, enquanto os seus companheiros estavam no pátio se divertindo, padre Pio detinha-se no coro sozinho, em silêncio. Talvez estivesse orando em sufrágio das vítimas da guerra e da terrível epidemia de gripe daquele ano (a "espanhola"), ou mesmo oferecendo-se como vítima para o fim daquela ou desta. Pode-se supor isso, tendo-se em vista a sua sensibilidade aos sofrimentos humanos e a sua disponibilidade generosa para pagar pelos outros.

A igreja deserta, naquela paisagem montanhosa já deserta, dava maior intensidade à oração. Padre Pio, ajoelhado no coro sobrelevado em relação à porta de entrada da igrejinha que ainda existe, tinha diante de si um crucifixo, elevado sobre o balaústre do coro estreito, através do qual se vê a capela maior do presbitério. Aquele crucifixo, um Cristo e uma cruz de cipreste ainda hoje presentes. O desconhecido escultor do século XVI, preocupando-se pouco com as proporções anatômicas, conseguiu dar a Cristo moribundo uma expressão dolorosa, ainda que rústica. A acentuada coloração do sangue, que goteja das numerosas feridas, impressiona qualquer um que o olhe. O Cristo, de olhos abertos, parece dolente, atormentado, com o corpo em movimento na tentativa de buscar uma posição menos dolorosa. Naquele momento de oração no coro, padre Pio estava sozinho. Ninguém foi expectador do fato. E é somente ele que pode dizer o que aconteceu. Narrou-o com rigor documentário de crônica para padre Bento, seu diretor espiritual, depois de 32 dias, na carta de 22 de outubro de 1918, pois lhe foi pedido que dissesse: "Tudo tintim por tintim e pela santa obediência" (carta de padre Bento para padre Pio, de 19 de outubro de 1918).

Da reconstrução da experiência autobiográfica emergente do *Epistolário*, constata-se que padre Pio também se esforçou em exprimir adequadamente o fenômeno do estigma, dificuldade tão comum aos místicos, visto que tal fato transcende totalmente a ordem natural. Para o santo de Gargano é, contudo, possível poder delinear os seguintes caracteres. Inicialmente, padre Pio meditou a Paixão de Cristo diante do crucifixo de madeira, pedindo que participasse vivamente das dores da crucificação, "para se tornar um segundo crucifixo". Depois disso, caiu em êxtase de amor, durante o qual a imagem se fundiu com um "grande personagem" não especificado. Então, das chagas do crucifixo partiram feixes luminosos em direção às mãos, aos pés e ao peito. Findo o êxtase, o santo percebeu que as chagas estavam abertas.

Sem Francisco de Assis, não existe padre Pio

A melhor analogia que, então, se pode criar entre Francisco de Assis e padre Pio, referente ao dom dos estigmas, gira em torno, de um lado, das complexas relações entre alma e corpo, entre doença e santidade, e, de outra parte, da extraordinária sensibilidade que caracterizava ambos. A propósito das frequentes enfermidades de Francisco, especialmente depois de sua conversão, e de padre Pio, é notável o fato de que ciência psiquiátrica e teologia concordem em que os estigmas são uma singular linguagem do corpo. Escreve Umberto Galimberti:

> Os estigmas não eram simulações meditadas para trazer o engano, nem doenças que pressupõem causas, mas formas primitivas de comunicação em quem não possuía formas mais evoluídas (*Psichiatria e fenomenologia* [Psiquiatria e fenomenologia], p. 279).

Mas comparar Francisco de Assis e padre Pio significa, sobretudo, observar a sua extraordinária sensibilidade. O Pobrezinho deixou uma imagem indelével na religiosidade da época e de todos os tempos, justamente por sua carga de sentimentos e capacidade de expressão poética, como demonstra uma série de episódios biográficos, como a celebração do Natal em Greccio, o seu "Cântico ao irmão Sol" e o seu fraterno amor às criaturas. Semelhantemente, também do *Epistolário* do santo de Gargano e do testemunho daqueles que tinham contato com ele, emerge uma afetividade incomum que padre Pio manifestou não só com natural rapidez, como também com uma imensa necessidade de ser mudado. O seu coração afetuoso revela-se na facilidade com que se comove, nos choros frequentes, para "se compadecer" da Paixão de Cristo e dos sofrimentos alheios.

A extraordinária sensibilidade de ambos transparece, no entanto, também em outra inconfundível característica: o pudor diante dos sinais que apareceram em seu corpo. O Pobrezinho seguia um critério de discrição a respeito de todas as experiências espirituais, temendo colocar em risco a sua eficácia com a vanglória, se as tivesse manifestado aos outros sem que Deus lhe desse um sinal explícito nesse sentido. A respeito de seu comportamento habitual, Francisco de Assis utilizou todos os recursos de sua inteligência para manter escondidas as suas feridas até mesmo diante dos olhos curiosos dos frades encarregados de cuidar de sua higiene. Não menos interessante se revela o modo de reagir do santo padre Pio, depois que foi estigmatizado. Em sua carta de 22 de outubro de 1918, a primeira aqui publicada e endereçada a seu pai espiritual, Bento de San Marco in Lamis, exprime a esperança de que Jesus tire dele "a confusão que experimento por causa destes sinais externos", tendo-os como motivo "de humilhação indescritível e insustentável". É, além disso, característica a correspondência de comportamento com o de Francisco em casos semelhantes, encontrados quando padre Nazzareno de Arpaise (1885-1960), provavelmente não muito tempo depois do acontecimento, durante um colóquio familiar, pediu-lhe insistentemente para ver a chaga do peito. "Respondia-me" — escreve padre Nazzareno — "com aquela passagem do livro de Tobias: 'É bom manter escondido o segredo do rei'" (Tb 12,7). Também padre Paolino de Casacalenda (1886-1964) testemunha que padre Pio, depois do surgimento dos estigmas, cobria as feridas das mãos com luvas e tinha uma faixa apertada em torno ao peito, ou seja, em torno à ferida do peito.

Observar o sinal dos estigmas em padre Pio em sua pertença ao carisma profético, com analogia aos de Francisco de Assis, significa, em última instância, compreender que em cada batizado está profundamente impressa a imagem de Cristo. Isso os místicos haviam entendido perfeitamente. Eles, na verdade, atingiram os limites mais perigosos e até mesmo os ultrapassaram, concebendo o cristão "santo" como um "segundo Cristo". E, se isso foi dito por Francisco de Assis, não é menos percebido como válido para padre Pio, a partir do pano de fundo de credibilidade que cada carta dele assume diante dos olhos daquele leitor que a lê com fé.

GIANLUIGI PASQUALE, ofm cap.

CARTA 1

"NA MANHÃ DO DIA 20 DO MÊS PASSADO [...]"

É a carta mais famosa, na qual padre Pio descreve o acontecimento da estigmatização. É endereçada a seu diretor espiritual, padre Bento de San Marco in Lamis (1872-1942), que então era o ministro provincial dos capuchinhos de Sant'Angelo-Foggia. Nela emerge claramente a distinção entre o fenômeno da transverberação e o sucessivo dos estigmas, como se pode compreender claramente pela própria descrição detalhada feita por padre Pio [510].[1]

---

[1] Entre colchetes está indicada a numeração das cartas segundo a edição integral do v. 1 do *Epistolário*. San Giovanni Rotondo (Foggia), Edizioni Padre Pio da Pietrelcina, 2000.

San Giovanni Rotondo, 22 de outubro de 1918.
J.M.J.D.F.C.[2]

Meu caríssimo pai,

Que Jesus, sol de justiça, resplandeça sempre sobre o seu espírito, envolto nas misteriosas obscuridades da prova, desejada por ele mesmo e diretamente!

Ó pai, por que estais assim tão angustiado, tão cheio de temores em seu espírito? Tranquilize-se, pois Jesus está com o senhor e está contente pelo senhor. Aflige-me a alma sabê-lo em tal sofrimento espiritual; oh! quanto rezei e rezo pelo senhor a nosso Senhor, que me faz sentir no coração que ele é para o senhor sempre aquele que pôs as suas graças, as suas preferências, as suas predileções em sua direção.

Como pode, portanto, persuadir-se de que Deus faça bramir as calamidades em torno ao senhor e que o senhor é em grande parte a causa delas? Ó pai, não tema, por caridade. O senhor não é de fato culpado deste bramir de tempestades. Nenhum temor deve ter por sua alma; Jesus está com o senhor, que por ele é amado. Essa é toda a verdade diante de Deus. Acalme-se e deixe que o Senhor o prove como quiser, pois tudo conseguirá para a sua santificação.

Não me calei na última carta, não, por falsa piedade, como o senhor me repreendeu, por não o advertir de quanto se vai acumulando sobre o seu [espírito] em razão da impenitência da sua alma, como o senhor erroneamente temia, mas calei-me porque não tive força para tal, por recear uma repreensão. Não

---

[2] J.M.J.D.F.C.: no início das cartas de padre Pio, encontram-se essas letras, que são as abreviações de "Jesus, Maria, Joseph, Dominicus, Franciscus, Clara". As iniciais latinas são invocações referidas a Jesus, Maria, José, Domênico, Francisco e Clara. Outras vezes, as invocações são mais concisas, sem as iniciais de Domênico e Clara.

queira, por caridade, fazer outra injustiça à divina bondade, por recusar-se a abandonar essa falsa convicção.

O flagelo atual, nas intenções de Deus, é aproximar o ser humano da divindade, como finalidade principal; como finalidade secundária e imediata, então, é perdoar as perseguições contra os filhos de Deus por parte de outros filhos de Deus, as quais são, certamente, fruto da presente guerra.

Não tenha medo, pois a iniquidade não chegará a destruir a retidão, mas destruirá a si mesma, e triunfará a justiça.

O que lhe posso dizer a respeito daquilo que me perguntou, de como aconteceu a minha crucificação? Meu Deus, que confusão e que humilhação eu provo ao ter que manifestar aquilo que vós operastes nesta mesquinha criatura!

Na manhã do dia 20 do mês passado, no coro, depois da celebração da santa missa, fui surpreendido por uma modorra, semelhante a um doce sono. Todos os sentidos internos e externos, bem como as próprias faculdades da alma, mergulharam em uma calmaria indescritível. Em tudo houve total silêncio: em torno a mim e dentro de mim; sobrevieram-me, subitamente, uma grande paz e abandono à completa privação de tudo e um repouso no próprio vazio. Tudo aconteceu em um instante.

Enquanto tudo isso ocorria, vi-me diante de um misterioso personagem, semelhante àquele visto na tarde de 5 de agosto, que se diferenciava deste somente porque pingava sangue de suas mãos, pés e peito.

Essa visão me aterroriza. O que provei naquele instante, não saberei dizer. Sentia-me morrer e estaria morto se o Senhor não interviesse para sustentar meu coração, que eu sentia saltar no peito.

A visão do personagem retirou-se, e eu percebi que minhas mãos, pés e peito estavam perfurados e vertiam sangue. Imagine o tormento que experimentei então e que continuo experimentando quase todos os dias.

A ferida do meu peito lança assiduamente sangue, mais ou menos de quinta-feira à noite até o sábado. Meu pai, eu morro de dor pelo tormento e pela confusão subsequente que eu provo no íntimo da alma. Temo morrer dessangrado se o Senhor não escutar os gemidos de meu pobre coração e retirar de mim esta obra. Jesus, que é tão bom, concederá essa graça a mim?

Tirará de mim ao menos a confusão que experimento por causa destes sinais externos? Elevarei forte a minha voz a ele e não desistirei de suplicar-lhe, para que, por sua misericórdia, retire de mim não o tormento, não a dor, pois acho impossível e sinto querer inebriar-me de dor, mas estes sinais externos que são, para mim, causa de confusão e de uma humilhação para mim indescritível e insustentável.

O personagem do qual pretendia falar na minha carta precedente não é outro senão aquele mesmo do qual lhe falei em outra carta, o qual eu vi em 5 de agosto. Ele segue a sua obra sem descanso, com superlativo tormento da alma. Eu sinto interiormente um contínuo rumor, semelhante a uma cascata, que derrama sempre sangue. Meu Deus! É justo o castigo e reto o vosso juízo, mas usai-me para a misericórdia. Domine, dir-vos-ei sempre com o vosso profeta: *Domine, ne in furore tuo arguas me, neque in ira tua corripias me.*[3]

Meu pai, agora que todo o meu interior já foi visto pelo senhor, não deixe de fazer chegar a mim a palavra de conforto, em meio a tão feroz e dura amargura.

Rezo sempre pelo senhor, pelo pobre padre Agostino, por todos. Abençoe-me sempre.

Seu afeiçoadíssimo filho,
frei Pio.

---

[3] Sl 6,2; 37,1.

CARTA 2

"AS CHAMAS PELAS QUAIS O MEU CORAÇÃO É AGITADO NESSES MOMENTOS [...]"

Como ocorreu não só com muitos místicos ocidentais, mas também com os orientais, também em padre Pio foi determinante a figura do "interlocutor" espiritual, o seu diretor de espírito, padre Bento, que tanto contribuiu para o nascimento espiritual da província religiosa na primeira metade do século XX. Com uma confidência de "filho" para "pai", o nosso Pio, que, seguindo a autêntica tradição capuchinha, assina sempre "frei Pio", abre-se com ele contando-lhe os primeiros sinais da direta participação na Paixão de Jesus [17].

Pietrelcina, 4 de setembro de 1910.
J.M.J.F.

Meu caríssimo pai,
Pelo querer de Deus, continuo ainda a sentir-me mal de saúde. Mas o que mais me martiriza são aquelas fortes e agudas dores no tórax. Em certos momentos, dão-me uma aflição tão grande, que parece que meu peito e minhas costas querem despedaçar-se.

Porém, Jesus não deixa de aliviar os meus sofrimentos, pouco a pouco, ou seja, falando ao meu coração. Oh, sim, meu pai, como Jesus é bom comigo! Oh, que preciosos momentos são esses! É uma felicidade que não sei a que comparar; é uma felicidade que somente nas aflições o Senhor me deixa provar.

Nesses momentos, mais do que nunca, o mundo todo me aborrece e me pesa; nada desejo, a não ser amar e sofrer. Sim, meu pai, também em meio a tantos sofrimentos sou feliz, pois parece que ouço o meu coração palpitar com o de Jesus. Então, imagine quanta consolação deve infundir em um coração o fato de saber possuir, quase com certeza, Jesus.

É verdade que as tentações às quais estou sujeito são muitíssimas, mas confio na Divina Providência para não cair nos laços do insidiador. É também verdade que Jesus muito frequentemente se esconde, mas não importa; eu procurarei com a sua ajuda estar sempre a seu redor, visto que ele me assegura que não são abandonos, mas brincadeiras de amor.

Oh!, como desejei ardentemente, nesses momentos, ter alguém que me ajudasse a moderar as ansiedades e as chamas pelas quais o meu coração é agitado!

Faça-me a caridade de responder-me se quiser e se não o desagradar. Mantenha-me a par da veracidade daquilo que até aqui eu lhe expus.

Recomende-me ao Senhor e me abençoe.

Seu,
frei Pio.

Cumprimento o padre leitor Agostino; agradeço-lhe pelo grande bem que me fez e lhe desejo muitas coisas bonitas.

CARTA 3

"[...] EU NÃO ME CANSAREI DE REZAR A JESUS."

A nota franciscana com a qual padre Pio se aproximava dos "mistérios da humanidade" está evidente nesta terceira carta, mas também em muitas outras. Contudo, a nota peculiar aqui emergente é que o santo de Gargano está convencido de estar nos braços de Jesus, que o queria arrancar das mãos do demônio. Ele está, de fato, convencido de que o próprio Jesus não quer perder o seu "frei Pio", pois ele não hesitou em derramar o próprio sangue pela salvação do ser humano [25].

Pietrelcina, 20 de dezembro de 1910.
J.M.J.F.

Meu caríssimo pai,
Aproximando-se o santo Natal, uma obrigação de consciência parece que se impõe: a de não o fazer passar sem que lhe deseje todas as celestes consolações que o seu coração queira. Mesmo tendo todo o tempo rezado pelo senhor — que foi e será a pessoa muito amada por mim —, nesses dias, no entanto, não deixarei de redobrar as minhas orações ao celeste Menino, para que

queira dignar-se de preservá-lo, neste mundo, de toda desgraça, maximamente da desgraça de perder o Jesus Menino.

O meu mau estado de saúde segue o curso com seus altos e baixos. Sofro, é verdade, e sofro muito, mas sou muito feliz porque, mesmo em meio ao sofrer, não deixa o Senhor de fazer-me sentir uma alegria inexprimível.

Se não fosse, meu pai, pela guerra que o demônio move contra mim continuamente, eu estaria quase no paraíso; encontro-me nas mãos do demônio, que se esforça para me arrancar dos braços de Jesus. Quanta guerra, meu Deus, move ele contra mim! Em certos momentos, falta pouco para que eu não perca a cabeça, em razão da contínua violência que tenho que infligir a mim mesmo. Quantas lágrimas, quantos suspiros, meu pai, endereço ao céu para ser libertado! Mas não importa, eu não me cansarei de rezar a Jesus. É verdade que as minhas orações são mais dignas de castigo do que de prêmio, pois muito desagradei Jesus com os meus inumeráveis pecados,[1] mas, no fim, ele terá piedade de mim ou com o tirar-me do mundo e chamar-me a si, ou com o libertar-me; e, se nenhuma dessas graças quiser conceder-me, espero ao menos que queira continuar a conceder-me a graça de não ceder às tentações. Jesus, que não poupou o seu sangue pela salvação do ser humano, quererá talvez medir os meus pecados para então me perder? Creio que não. Ele, logo e santamente, vingar-se-á, com o seu santo amor, da mais ingrata das suas criaturas.

---

[1] Trata-se de um exagero piedoso, muito frequente na hagiografia católica. Tem suas raízes no profundo e íntimo conhecimento que a alma adquire da fraqueza humana e da santidade divina. Essas e outras expressões semelhantes são autorizadamente desmentidas por padre Bento.

E o senhor, o que diz disso? Diga também o senhor a Jesus que manterei, sim, a promessa de não o desagradar; que, ao contrário, me esforçarei para amá-lo sempre.

Abençoe-me, pois, sou

o seu pobre,
frei Pio.

Preciso de um cíngulo; entrego-me à sua caridade.

Carta 4

"[...] TENHO JESUS COMIGO; O QUE PODEREI TEMER?"

Ótima análise detalhada com a qual padre Pio descreve para padre Bento a tentação do maligno, a qual afasta o santo do presente, reportando-o, mediante a memória, às culpas do passado — que, no entanto, foram perdoadas —, mas tornando-o melancólico, quase depressivo. Padre Pio sente-se aliviado ao orar aos pés de Jesus, em que exatamente sente o alívio pelo cansaço contínuo de superar as tentações do mal, aquelas que, ao ofuscarem a mente, reportam continuamente a memória "à vida secular" [30].

Pietrelcina, 19 de março de 1911.
J.M.J.F.

Meu caríssimo pai,
Na ocasião de seu onomástico, escutando a voz do coração, que me diz para ser grato a um superior e padre, envio-lhe a presente para lhe desejar o mais feliz dos onomásticos.
Em tal dia, não deixarei de redobrar as minhas orações ao Senhor, para que se digne de preservá-lo de toda desgraça.

O demônio, caro pai, continua a mover guerra contra mim e desventuradamente não se deixa dar por vencido. Nos primeiros dias em que fui colocado à prova, confesso a minha fraqueza, estava quase melancólico; mas depois, pouco a pouco, a melancolia passou e comecei a me sentir um pouquinho aliviado. Ao orar depois aos pés de Jesus, pareço não sentir de fato nem o peso do cansaço que foi causado ao vencer, já que fui tentado, nem o amargor dos desprazeres.

As tentações que dizem respeito à minha vida secular são as que mais tocam o meu coração, ofuscam-me a mente, me fazem suar frio e, diria, me fazem tremer da cabeça aos pés. Em tais momentos, os olhos apenas me servem para chorar; vou me confortando e encorajando apenas ao pensar naquilo que o senhor me sugerir em suas cartas.

Também ao subir ao altar, meu Deus!, sinto tais assaltos, mas tenho Jesus comigo; o que poderei temer?

Abençoe-me fortemente e não deixe de recomendar-me, também o senhor, a Jesus, como todos os dias faço pelo senhor.

Seu,
frei Pio.

CARTA 5

"[...] PARECE-ME IMPOSSÍVEL QUE JESUS QUEIRA PERDER-ME."

Consciente da dramática ruptura criada pelo pecado entre Deus e a sua criatura, padre Pio sabe que esse abismo pode estar presente em qualquer um, mesmo nele. Ele não esquece que tudo foi colocado por Deus nas mãos do Filho. É ele o Salvador que julga, e não Deus Pai, já que o Pai "deu ao Filho o poder de julgar" (Jo 5,22). Por isso, parece-lhe impossível que Jesus queira perdê-lo [42].

San Marco la Catola, 5 de setembro de 1911.
W.J.M.J.F.

Querido pai,

Jesus continua comigo, ainda não me deixou, já que se torna cada vez mais fácil fugir às tentações e me entregar ao divino poder, como lhe havia escrito na minha última carta. Veja, portanto, pai, a que ponto chegam a doçura e a bondade de Jesus, por mais pérfido e mau que eu seja!

No entanto, o que farei para corresponder a tanta misericórdia? O que lhe darei em troca de tantos benefícios? Quantas vezes, no passado — se o senhor soubesse! —, troquei Jesus por uma coisa vil deste mundo! Eu vejo em mim o mistério; continuamente me arrependo dos pecados cometidos, continuamente prometo não os cometer mais, continuamente tenho uma vontade resoluta de não mais pecar; no entanto, me dói dizê-lo, com sangue aos olhos, que com tudo isso sou ainda imperfeito e me parece que frequentemente dou desgosto ao Senhor. Às vezes, sobrevém-me um grande desespero, porque me parece quase impossível que Jesus deva perdoar-me tantos pecados; na maioria das vezes, parece-me impossível que Jesus queira perder-me. Oh!, que trabalho é esse? Explique-me um pouco.

Tudo isso, entretanto, acontece sem que eu perceba, já que não tenho vontade de desagradar mesmo que levemente a Deus, de fato.

Quanto, pois, eu sofro, pai, ao ver que Jesus não só não é cuidado pelas pessoas, mas também, o que é pior, é insultado sobretudo com horríveis blasfêmias. Preferiria morrer, ou ao menos ficar surdo, a ouvir tantos insultos que as pessoas fazem a Deus.

Eu fiz ao Senhor a seguinte oração: "Senhor, fazei-me morrer do que estar perto das pessoas no momento em que vos ofendem!". Recomende-me também ao Senhor e peça para mim essa graça, se isso for para ele maior glória.

Acabei de celebrar as missas gregorianas; agora, peço que me mande um pouco de esmola, pois presentemente, por falta de dinheiro, não tenho como comprar remédios.

Não cesse de sempre me abençoar.

Seu,
frei Pio.

Capítulo 6

"NO MEIO DA PALMA DAS MINHAS MÃOS, APARECEU UM PONTO VERMELHO [...]"

É admirável a delicadeza com que um jovem frade capuchinho, de apenas 24 anos, abre-se confidencialmente a seu mestre espiritual, para contar-lhe, mediante a caneta, aquilo que lhe está acontecendo há um ano. Apenas quem escreve no rico silêncio do amor de um convento franciscano pode, de verdade, compreender o ato profundo de fé que "frei Pio" está praticando ao confessar a padre Bento, cheio de pudor e "vergonha", os primeiros sinais daquilo que será a transverberação [44].

Pietrelcina, 8 de setembro de 1911.
J.M.J.F.

Meu querido pai,
Não me repreenda se respondo à sua carta com um pouco de atraso; não foi por falta de vontade, nem por preguiça; mas o motivo é que eu me encontro no campo respirando um pouco de ar puro e já senti melhora. Portanto, hoje, justamente ao voltar

à cidade para celebrar, foi-me entregue a sua carta, à qual, sem perder tempo, determinei-me a responder rapidamente.

Ontem à noite, aconteceu algo comigo que eu não sei explicar nem compreender. No meio da palma das minhas mãos, apareceu um ponto vermelho, quase com a forma de uma moedinha, acompanhado também de uma forte e aguda dor no centro. A dor era mais profunda no centro da mão esquerda, tanto que persiste até agora. Também sob os pés percebo um pouco de sangue.

Faz quase um ano que esse fenômeno está ocorrendo, porém já fazia algum tempo que não se repetia. Não se inquiete, porém, se só agora lhe digo pela primeira vez; porque fui sempre vencido pela maldita vergonha. Mesmo agora, se o senhor soubesse quanta força tive de fazer para dizê-lo! Tenho muitas coisas para contar, mas as palavras não me vêm; somente digo que as batidas do coração, agora que me encontro com Jesus sacramentado, são muito fortes. Parece-me às vezes que quer até mesmo sair do peito.

No altar, às vezes, sinto tal calor em todo o corpo, que não posso descrever. Meu rosto parece que vai pegar fogo. Ignoro que sinais são esses, meu pai.

O senhor pode imaginar, pois, quanto desejo voltar para o convento. O maior dos sacrifícios que fiz para o Senhor foi justamente não ter podido viver em um convento. No entanto, não creio que Deus queira absolutamente que eu morra. É verdade que em casa sofri e estou sofrendo, mas nunca fui indolente no meu ofício, o que não seria possível no convento. Trata-se de sofrer sozinho, muito bem. Mas constituir um peso e cansaço para os outros sem mais resultados se não o da morte, eu não saberia o que responder.

De resto, parece-me que tenho todo o dever e o direito de não me privar diretamente da vida aos 24 anos. O Senhor parece que assim o quer. Considere que estou mais morto do que vivo

> "NO MEIO DA PALMA DAS MINHAS MÃOS,
> APARECEU UM PONTO VERMELHO [...]"

e depois faça como crer, que estou disposto a fazer qualquer sacrifício se tratar-se de obediência.

Quero lhe agradecer pelo hábito. Sobre as cinco missas de agosto e as cinco de setembro, eu lhe contarei no decorrer deste mês e no início do próximo.

Na espera de receber notícias suas, peço-lhe sua bênção.

Seu,
frei Pio

CARTA 7

"[...] AS CONSOLAÇÕES SÃO [...] TÃO DOCES, QUE NÃO CONSIGO DESCREVÊ-LAS."

É sabido que as cartas de padre Pio — o seu *Epistolário* — descrevem o itinerário cumprido pelo santo, a partir de sua vida interior. Nelas, sobretudo nesta carta, estão presentes três traços que as igualam: o constante referimento a Jesus, a promessa de orar por seu diretor espiritual e pelos conhecidos e a denúncia das contínuas interferências do maligno, aqui chamado por padre Pio de *barbablù* [71].

Pietrelcina, 31 de março de 1912.
J.M.J.F.

Meu caríssimo pai,
Agradecido pelos tantos cuidados que o senhor teve comigo; sinto, agora que se aproxima a santa Páscoa,[1] um sagrado dever de não a deixar passar sem desejar-lhe todas as graças que possam torná-lo feliz aqui na terra e beato no céu.

---
[1] Em 1912, a Páscoa foi celebrada em 7 de abril.

Esse, meu pai, é o voto que sei fazer-lhe e creio que será muito bem aceito pelo senhor. Em tal solenidade, de minha parte, não deixarei de orar, por sua bela alma a Jesus ressurgido, em minha indignidade, ainda que não me esqueça de rezar todos os dias pelo senhor.

Nestes dias santos, mais do que nunca, estou muitíssimo aflito por causa do *barbablù*. Peço-lhe, então, que me recomende vivamente ao Senhor, para que não me faça permanecer vítima desse inimigo comum.

Deus, no entanto, está comigo, e as consolações, que sempre me faz provar, são tão doces, que não consigo descrevê-las.

Quanto à saúde, sinto-me discretamente bem. Imagino que o senhor não esteja contente pela narração geral do meu estado interior, mas, meu pai, a vista quer me privar também deste último, isto é, de narrar minuciosamente o mau estado interno. Deus sabe quão abalado fico depois de escrever um pouco.

Então, até mais, meu pai, quando Deus quiser e onde quiser.

Beijo-lhe a mão e lhe peço que me abençoe fortemente.

Seu,
frei Pio, capuchinho.

CARTA 8

"O CORAÇÃO DE JESUS [...] E O MEU SE FUNDIRAM."

Também esta carta deve ser lida sabendo-se que quem a escreve é um padre Pio de 25 anos. Significa que é uma carta escrita por uma jovem criatura que Deus está progressivamente chamando a si mediante a união de dois corações, o divino e humano (do Salvador e o de padre Pio), preenchido por ele com muita doçura. A união é traçada em termos de colóquio que, de fato, é estabelecido entre dois corações na oração de agradecimento depois da eucaristia. A partir desta carta, o destinatário não é mais padre Bento, mas padre Agostino de San Marco em Lamis (1880-1963), o seu novo diretor espiritual [74].

Pietrelcina, 18 de abril de 1912.
J.M.J.F.

Caríssimo pai,
Viva Jesus! Estou muito contente de poder entreter-me um pouco com o senhor mediante esta carta. Mas como farei para narrar-lhe os novos triunfos de Jesus em minha alma, nestes dias? Limito-me em narrar-lhe apenas aquilo que aconteceu comigo na

última terça-feira.[1] Que fogo aceso senti, nesse dia, no coração! Mas senti também que esse fogo foi aceso por uma mão amiga, por uma mão divinamente zelosa.

Estava ainda na cama, quando fui visitado por aqueles homens ruins, que me batiam de uma maneira tão bárbara, que tenho como graça ter conseguido suportar aquilo sem morrer; uma prova, meu pai, que era muito superior às minhas forças.

O bom Jesus, no entanto, que permitiu ao *barbablù* tratar-me de tal modo, não deixou depois de me consolar e de me fortificar no espírito.

Com dificuldade, pude ir ter com o divino prisioneiro para celebrar. Terminada a missa, distraí-me com Jesus no rendimento de graças. Oh!, como foi suave o colóquio tido com o paraíso, esta manhã! Tal foi que, se quisesse tentar dizer tudo, não o poderia; houve coisas que não podem ser traduzidas em linguagem humana sem se perder o sentido profundo e celeste. O coração de Jesus e o meu, permita-me a expressão, se fundiram. Não eram mais dois corações que batiam, mas um só. O meu coração desapareceu como uma gota d'água que se perde no mar. Jesus era o paraíso, o rei. A alegria em mim era tão intensa e tão profunda, que não mais pude [me] conter; as lágrimas mais deliciosas inundaram o meu rosto.

Sim, meu pai, o ser humano não pode compreender que, quando o paraíso dirige-se ao coração, esse coração aflito, exilado, fraco e mortal não o pode suportar sem chorar. Sim, repito, apenas a alegria que enchia o meu coração foi que me fez chorar tanto.

Essa visita, creia, me reanimou por inteiro. Viva o divino prisioneiro!

---

[1] Isto é, 16 de abril de 1912. Descreve-se o fenômeno místico chamado "fusão dos corações".

O demônio nos impossibilitará de nos vermos antes do capítulo, mas não importa que consiga nos impedir de nos abraçarmos fisicamente. Eu faço desde já um sacrifício a Jesus. Nós nos contemplaremos diante de Jesus.

Termino, pois não aguento mais.

Quando o senhor estiver diante dele, não se esqueça de recomendar o seu pobre discípulo.

Frei Pio.

Minha família, o arquipresbítero e todos os nossos amigos lhe desejam tudo de bom.

Carta 9

"SINTO, MEU PAI, QUE O AMOR ME DOMINARÁ FINALMENTE [...]"

O Dia de São Lourenço, comemorado a 10 de agosto de todos os anos, lembra a padre Pio o dia de sua ordenação sacerdotal. Em 1912, já haviam transcorrido para ele oito anos; contudo, ele não esquecia o realíssimo sentido de paz do coração que começou a sentir desde a vigília daquele grande dia. Paz que não o havia abandonado, porque nele o amor por Jesus inundava, dia após dia, cada traço de sua estatura intelectual, moral e espiritual [93].

Pietrelcina, 9 de agosto de 1912.
J.M.J.F.

Caríssimo pai,
Há muito tempo desejava escrever ao senhor, mas *barbablù* me impediu. Eu disse que o fez porque, toda vez que eu me determinava a escrever, eis que uma fortíssima dor de cabeça me sobrevinha; parecia que logo, logo, fosse se despedaçar, acompanhada de uma agudíssima dor no braço direito, que me impossibilitava de segurar a caneta.

Sinto, meu pai, que o amor me dominará finalmente; a alma corre o risco de separar-se do corpo, pois não pode amar Jesus o bastante na terra.

Sim, a minha alma está ferida de amor por Jesus; estou doente de amor; provo continuamente a amarga pena daquele ardor que queima e não se consuma. Sugira-me, se puder, o remédio para o atual estado de minha alma.

Eis uma pálida figura daquilo que Jesus opera em mim. Como uma corrente que leva consigo, na profundidade dos mares, tudo aquilo que encontra em seu caminho, assim a minha alma, que está no fundo do oceano sem margens do amor de Jesus, sem algum mérito meu; sem poder tomar consciência, atrai para si todos os seus tesouros.

Meu pai, enquanto eu escrevo, todavia, onde está o meu pensamento? No belo dia de minha ordenação. Amanhã, Festa de São Lourenço, é também o dia de minha festa. Já comecei a provar novamente o júbilo daquele santo dia para mim. Desde esta manhã, comecei a provar o paraíso... E como será quando o provarmos eternamente!? Comparo a paz do coração, que senti naquele dia, com a paz do coração que começo a provar desde a vigília e não encontro nada de diferente.

O Dia de São Lourenço foi a ocasião na qual encontrei o meu coração mais aceso de amor por Jesus. Como fui feliz, como gozei naquele dia!

Pai, o senhor leu a presente e, já que não duvido que o senhor me ama, reze e agradeça também a Jesus por mim.

Em meados do corrente mês, terei necessidade dos medicamentos; ser-lhe-ei muito grato se o senhor pedir também em meu nome ao padre mestre,[1] para que possa prover-me. Se isso não lhe for difícil; não importa, Jesus pensará em nós.

---

[1] Tommaso de Montesantangelo.

> "SINTO, MEU PAI, QUE O AMOR
> ME DOMINARÁ FINALMENTE [...]"

Todos os conhecidos lhe mandam lembranças; o arquipresbítero reverencia o senhor; eu o abraço com ternura.

Seu pobre discípulo,
frei Pio.

CARTA 10

"[...] SENTI O MEU CORAÇÃO SER FERIDO POR UM DARDO DE FOGO [...]"

A história dos estigmas de padre Pio, obtida seguindo-se o texto de suas cartas, toma contornos sempre mais delineados. Em uma longínqua sexta-feira de agosto de 1912, padre Pio é misticamente ferido no coração por uma chama de fogo. No relatório feito a padre Agostino, não parece ser esse um fenômeno completamente novo, a partir do momento em que padre Pio confessa que "já senti muitos desses êxtases de amor". Deste modo, portanto, ele define também a correta interpretação daquela chama de fogo [95].

Pietrelcina, 26 de agosto de 1912.
J.M.J.F.

Querido pai,
Quanto amor lhe desejo por seu próximo onomástico! Meça-o pelo amor e pela estima que o seu filho e discípulo nutre pelo senhor.
Nesse dia, as minhas súplicas ao dulcíssimo Jesus serão redobradas. Observe o que aconteceu comigo na sexta-feira passada. Eu estava na igreja a render graças pela missa, quando, de re-

pente, senti o meu coração ser ferido por um dardo de fogo tão vivo e tão ardente, que pensei que morreria.

Faltam-me as palavras corretas para fazê-lo compreender a intensidade dessa chama; de fato, não consigo exprimir-me. Acredita? A alma, vítima dessas consolações, torna-se muda. Parecia-me que uma força invisível me imergia inteiro no fogo... Meu Deus, que fogo! Que doçura!

Já senti muitas vezes esses êxtases de amor e por muitas vezes fiquei como se estivesse fora deste mundo. Outras vezes esse fogo foi, no entanto, menos intenso; dessa vez, ao contrário, um instante, um segundo a mais, a minha alma teria se separado do corpo... teria ido com Jesus.

Oh, que bela coisa é tornar-se vítima do amor! Mas, atualmente, como se encontra a minha alma? *Mon cher père, à présent Jésus a retiré son javelot de feu, mais la blessure est mortelle...**

Não acredite, pois, que *barbablù* me deixe em paz; são tais os tormentos que continua infligindo ao meu corpo, que lhe deixo imaginar as consolações divinas às quais está sujeita a minha alma. Mas viva sempre o dulcíssimo Jesus, que me dá tanta força, a ponto de eu rir na cara do homem ruim.

Graças rendo a Deus pela esmola das missas que o senhor me enviou.

Quanto ao panegírico do rosário, falei com o organizador da festa, que ficou com muita pena de não poder atender ao meu pedido, pois já havia feito o convite a outro religioso; caso este não aceite, o senhor será o preferido. Caro pai, *barbablù* colocará todo o seu artifício diabólico para impedir que nós nos vejamos mais uma vez. Mas seja sempre feita a vontade divina.

---

* "Meu querido pai, até o momento, Jesus afastou seu dardo de fogo, mas a ferida é mortal...". Em francês, no original. (N.R.)

> "[...] SENTI O MEU CORAÇÃO SER FERIDO POR UM DARDO DE FOGO [...]"

Remeto-lhe os cumprimentos e os votos de todos os bons amigos e do arquipresbítero.

Je vous salue et vous embrasse, père consolateur.

Votre pauvre,**
f. Pie.

** "Saudações e abraços, pai consolador. Seu pobre, frei Pio." Em francês, no original. (N.R.)

CARTA 11

"JESUS [...] ME FEZ ESCUTAR [...] SUA VOZ EM MEU CORAÇÃO [...]"

Consciente de que a existência terrena provém somente de Deus e que, por isso, a Deus deve retornar, padre Pio espera que sua vida passe rápido, "do mesmo modo com que se propaga a luz". Ele, na realidade, não foge da responsabilidade de viver no tempo, por meio do qual se obtém a salvação, mas sabe que no tempo está presente também uma segunda dramática possibilidade, aquela "outra" de poder perder Jesus a cada instante. É a escolha moral e deliberada para o pecado, pela qual a natureza humana foi ferida, que torna esta segunda eventualidade um possível drama da história [111].

Pietrelcina, 29 de dezembro de 1912.
I.M.I.F.

Meu caríssimo pai,
Outro ano está se passando na eternidade com o peso das minhas culpas nele cometidas! Quantas almas com mais sorte que eu saudaram a aurora e não o fim! Quantas almas entraram na casa de Jesus e lá ficarão para sempre! Quantas almas felicís-

simas, por mim invejadas, foram para a eternidade com a morte dos justos, beijadas por Jesus, confortadas pelos sacramentos, assistidas por um ministro de Deus, com o sorriso do céu nos lábios, não obstante os suplícios das dores físicas pelas quais foram oprimidas!

O viver na Terra, meu pai, me aborrece. É um tormento tão amargo para mim o viver da vida do exílio, que pouco a pouco não aguento mais. Pensar que a cada instante posso perder Jesus me dá uma aflição que não sei explicar; somente a alma que ama Jesus sinceramente poderá saber.

Nesses dias tão solenes para mim, pois são festas do celeste Menino, frequentemente sou tomado por aqueles êxtases de amor divino que tanto enfraquecem meu coração. Com toda a condescendência de Jesus para comigo, dirigi a ele a costumeira oração com mais confidência: "Ó Jesus, se eu pudesse amar-vos e sofrer por vós tanto quanto eu gostaria para vos fazer feliz e reparar, de algum modo, as ingratidões dos seres humanos para convosco!".

Jesus, no entanto, me fez escutar ainda mais a sua voz em meu coração: "Meu filho, o amor se conhece na dor; você o sentirá agudo no seu espírito e mais agudo ainda no seu corpo".

Essas palavras permanecem, meu pai, obscuras para mim.

Aqueles homens ruins procuram me atormentar de todos os modos; queixo-me, por isso, a Jesus e sinto que ele repete para mim: "Coragem; depois da batalha, vem a paz". Ele diz que preciso de fidelidade e amor. Estou pronto para tudo, para fazer a sua vontade. Apenas reze, suplico-lhe, para que este pouco de vida que me resta eu o utilize para a glória de Jesus e que ele faça passar este tempo do mesmo modo com que se propaga a luz.

Rezei a Jesus pelo que o senhor me pediu ultimamente; mas ele não me respondeu. Há um tempo que não quer se dignar de me dar uma resposta, já que se trata dos afazeres de nossa província, pois está muito desgostoso com o agir dela. Parece-me que o senhor deva aceitar ativamente a carga sempre que lhe for imposta, pois a mim parece que, embora o senhor seja um tanto fraco para esse ofício, deveria aceitar mesmo assim, pois faltam pessoas mais apropriadas para isso.

Peço-lhe, no entanto, que não solicite essa carga, nem mesmo indiretamente; e, se lhe for possível recusar, faça-o.

Nada recebi de padre Stefano, isto é, de Foggia; até a metade do mês vindouro, não me faltam medicamentos. Depois Deus proverá.

Preciso parar, não consigo continuar; desejo-lhe da parte do arquipresbítero, de minha família e de todos os bons amigos um bom início de ano, extensivo a toda a comunidade.

Tenha-me sempre como seu discípulo.

Frei Pio.

Carta 12

"AGORA JESUS OFERECEU ESSE CÁLICE TAMBÉM A MIM [...]"

A direção espiritual constituía para padre Pio — e isso vale para qualquer outro — um meio eficaz de santificação e um apoio moral para as múltiplas provas a que era submetido o seu espírito. Era também garantia segura contra eventuais ilusões. Pressionado pelas muitas presenças do espírito maligno, aqui denominadas "homens ruins", que queriam afastá-lo da obediência religiosa, o santo de Gargano dialoga contra elas e é, por isso, por elas espancado. Provavelmente lhe fora pedido que se tornasse um noviço capuchinho. Mas sobretudo Jesus, o homem das dores, fala a padre Pio oferecendo-lhe a possibilidade de tomar como ele e com ele o cálice da Paixão [114].

Pietrelcina, 1º de fevereiro de 1913.
I.M.I.F.

Caríssimo pai,
É verdade que eu estou nos braços de Jesus e ele é meu e eu sou todo dele? Esta é a pergunta, infelizmente frequente, que espontaneamente me vem à boca.

Quando recebi a sua carta, antes de abri-la, aqueles homens ruins me disseram para rasgá-la ou jogá-la no fogo. Se eu fizesse isso, iriam embora para sempre e não mais me molestariam. Fiquei mudo, sem dar-lhes resposta alguma, mas desprezando-os em meu coração. Então acrescentaram: "Nós queremos isso simplesmente como condição para a nossa retirada. Tu, ao fazeres isso, não desprezas a ninguém". Respondi-lhes que nada conseguiria afastar-me de meu propósito.

Lançaram-se em cima de mim como muitos tigres famintos, maldizendo-me e ameaçando-me de que me fariam pagar. Meu pai, mantiveram a palavra! Desde aquele dia me espancam cotidianamente. Mas não me amedronto. Não tenho em Jesus um pai? Não é verdade que eu serei sempre seu filho? Posso dizer seguramente que Jesus nunca se esqueceu de mim, mesmo quando eu estava longe dele. Ele, com seu amor, seguiu-me por todos os lugares.

O desejo expresso pelo senhor a meu respeito não pode concretizar-se, pois ocorreriam dois milagres. Para um deles, Jesus teria que violentar com sua graça não uma, mas mais liberdades humanas. O senhor já me compreendeu. Peço-lhe, portanto, que não se esqueça de orar para aquilo que escreveu na carta. Não deixemos esmorecer, querido pai, a recíproca promessa.

Jesus me disse que, no amor, é ele que me agrada; nas dores, sou eu que lhe agrado. Então, desejar a saúde seria ir em busca de alegrias para mim e não buscar elevar Jesus. Sim, eu amo a cruz, apenas a cruz; amo-a porque a vejo sempre nas costas de Jesus. Enfim, Jesus vê muito bem que toda a minha vida, todo o meu coração é dedicado todo a ele e às suas penas.

Por amor de Deus, meu pai, tenha compaixão de mim se mantenho esta linguagem! Só Jesus pode compreender que pena é para mim, já que me prepara diante da cena dolorosa do Calvário. É igualmente incompreensível o alívio que se pode dar a

> "AGORA JESUS OFERECEU
> ESSE CÁLICE TAMBÉM A MIM [...]"

Jesus não apenas tendo-se compaixão dele em suas dores, mas também quando ele encontra uma alma que, por amor a ele, lhe pede não consolações, mas participação em suas dores.

Jesus, quando quer me fazer saber que me ama, me faz provar as chagas de sua Paixão, os espinhos, as angústias... Quando quer me fazer gozar, me enche o coração daquele espírito que é todo fogo, fala-me de suas delícias; mas, quando quer ser agradado, fala-me de suas dores, convida-me, com voz de oração e de comando, a sobrepor o meu corpo para aliviar as suas penas.

Quem lhe resistirá? Percebo que muito o fiz sofrer por minhas misérias, muito o fiz chorar por minha ingratidão, muito o ofendi. Não quero outros a não ser Jesus; não desejo outra coisa (que é o próprio desejo de Jesus) que suas penas. Deixe-me dizer, que ninguém nos escuta: estou disposto também a ser privado para sempre das doçuras que Jesus me faz sentir, estou pronto para sofrer com o fato de Jesus esconder de mim os seus belos olhos, contanto que não me esconda o seu amor, senão morrerei. Mas não quero me sentir privado de sofrer; falta-me força.

Talvez eu não tenha me expressado bem a respeito do segredo desse sofrer. Jesus, homem das dores, gostaria que todos os cristãos o imitassem. Agora Jesus ofereceu esse cálice também a mim; eu o aceitei, e eis por que não me poupa. O meu pobre sofrimento é nada, mas também Jesus se compraz nele, porque na terra o amou muito. Portanto, em certos dias especiais, nos quais ele padeceu mais sobre esta terra, me faz sentir ainda mais forte esse sofrimento.

Então não deveria somente isso bastar para me humilhar e procurar ficar escondido dos olhos das pessoas desde que fui digno de padecer com Jesus e como Jesus?

Ah!, meu pai, sinto ser muito grande a minha ingratidão para com a majestade de Deus.

A respeito daquela questão pelo senhor tão recomendada, Jesus continua fechado. Cada vez que retorno a esse argumento, parece-me que ele fica muito desgostoso. Adoremos em silêncio o bem merecido castigo! O senhor, em particular, não tema, fique tranquilo.

Dá-me sumo prazer transcrever e traduzir aquele soneto.

Envio-lhe os cumprimentos do arquipresbítero, dos meus familiares e de Francesco. Reze por quem deseja o seu bem.

CARTA 13

"[...] NADA PREPONDERARÁ CONTRA AQUELES QUE GEMEM SOB A CRUZ [...]"

Critério inquestionável de autenticidade das cartas de padre Pio são algumas transcrições dos diálogos que ele mantinha com o Esposo divino, com o Filho de Deus. O fundo teológico que deles emerge é perfeitamente fiel aos dados da Sagrada Escritura e da tradição da Igreja. Isso é evidente nesta carta em que padre Pio é chamado por Jesus para levar a cruz como sinal autêntico do ser cristão [116].

Pietrelcina, 13 de fevereiro de 1913.
I.M.I.F.

Caríssimo pai,

Estou muito feliz. Jesus não cessa de me amar, mesmo diante de cada demérito meu, pois não cessa de permitir que eu seja afligido por aquelas horríveis bofetadas. Há 22 dias contínuos, Jesus permite que eles desafoguem sua ira sobre mim. O meu corpo, meu pai, está todo machucado pelas muitas surras que levou até agora das mãos dos nossos inimigos.

Mais de uma vez, eles se uniram para tirar-me até mesmo a camisa e me surrar em tal estado. Agora, diga-me, não foi talvez Jesus quem me ajudou nesses tão tristes momentos em que, privado de tudo, os demônios procuraram destruir-me e perder-me? Acrescente-se ainda que, mesmo depois que eles se distanciaram, fiquei nu por muito tempo, pois não podia me mover, nesta estação tão fria. Quantas desgraças teriam recaído sobre mim se o nosso dulcíssimo Jesus não tivesse me ajudado!

Ignoro o que acontecerá comigo; sei somente uma coisa, com certeza: que o Senhor não faltará em suas promessas: "Não temas; eu te farei sofrer, mas também te darei a força", Jesus repete para mim:

> Desejo que a tua alma, com cotidiano e oculto martírio, seja purificada e provada; não te assustes se eu permito que o demônio te atormente, que o mundo te repugne, que as pessoas a ti mais caras te aflijam, pois nada preponderará contra aqueles que gemem sob a cruz pelo meu amor e que eu me esforço para proteger.

"Quantas vezes", me disse Jesus há pouco, "me terias abandonado, meu filho, se eu não te tivesse crucificado".

"Sob a cruz aprende-se a amar; eu não a dou a todos, mas somente às almas que me são mais queridas".

Graças, pois, rendo ao senhor pelas muitas orações que fez ao Senhor. Eu prometo a mim que, quando estiver com ele, defenderei a sua causa. Jesus é bom, não poderá resistir aos meus clamores, embora estes sejam sempre fracos.

Nunca me esqueci de recomendar a Jesus aquelas duas almas. Reassegure-as disso, peço-lhe, para que fiquem tranquilas. Jesus requer delas um pouco mais de abandono e de confiança nele. Elas, pobrezinhas, não percebem que são mais caras aos olhos dele nesses momentos do que quando se encontravam nas consolações. Elas não sentem, mas são ajudadas por Jesus mais agora do que antes. Jesus quer que se afeiçoem a ele somente, por isso quer encher a vida delas de espinhos.

Ao retornar a San Marco, peço-lhe que cumprimente o padre provincial. Desejo ainda que lhe pergunte se pode autorizar-me a ouvir a confissões. Estou quase certo de dar com os burros n'água, mas não posso sufocar em mim essa voz misteriosa. Estou disposto a obedecer a todos os desejos do superior e uma recusa a mais para mim equivale à maior resignação.

Todos os meus cumprimentam o senhor; o arquipresbítero lhe envia cumprimentos; Francesco lhe manda mil beijos.

Reze por quem o tem no coração.

Frei Pio.

CARTA 14

"EU SOU FIEL; NENHUMA CRIATURA SE PERDERÁ SEM SABER."

Nestas duas cartas, padre Pio retoma o diálogo com padre Bento, o seu primeiro diretor espiritual, ao qual escreve aquilo que Jesus lhe sugeriu para colocar na carta. A veracidade do conteúdo manifesta-se no profundo significado profético subentendido nas revelações, a partir do momento em que não transmitem temor, mas doam esperança [136].

Pietrelcina, 7 de julho de 1913.
J.M.J.D.F.C.

Meu caríssimo pai,
Benedictus Deus, qui fecit mirabilia solus.[1]
Como me lembrei do senhor e das suas cruzes nesses dias! Desde a sua última [carta], quando eu soube quão perplexo o senhor estava, no espírito, não deixei nunca de recomendá-lo com mais insistência ao dulcíssimo Jesus.
Essa sua questão me deixou angustiado até esta manhã, pois Jesus bendito não me queria dar atenção. Mas seja para sempre

---
[1] Sl 71,18.

bendita a sua infinita bondade, já que mostrou piedade para com este pobre miserável!

Esta manhã, depois da missa, enquanto estava entristecido pela já citada questão, de repente fui tomado por uma violentíssima dor de cabeça; pouco a pouco, pareceu-me impossível prosseguir a render graças.

Esse estado aumentava em mim o tormento; também uma grande aridez de espírito tomou conta de mim, e quem sabe o que aconteceria se não tivesse ocorrido o que vou narrar.

O Senhor apareceu para mim e falou:

> Meu filho, não deixes de escrever o que ouves hoje de minha boca, para que tu não venhas a esquecer. Eu sou fiel; nenhuma criatura se perderá sem saber. A luz é muito diferente das trevas. A alma à qual eu costumo falar, eu a atraio sempre a mim; ao contrário, as artes do demônio tendem a distanciá-la de mim. Eu não inspiro nunca à alma temores que a distanciem de mim; o demônio nunca coloca na alma medos que a façam aproximar-se de mim. Se os temores que a alma sente em certos momentos da vida sobre sua eterna saúde são de minha autoria, isso é reconhecido pela paz e serenidade que deixam à alma...

Essa visão e locução de nosso Senhor imergiu a minha alma em tal paz e alegria, que todas as doçuras do mundo lhe parecem insípidas se comparadas a uma gota dessa suprema felicidade.

Todo temor sobre o seu espírito imediatamente se dissipou, e, mesmo provando-me, senti que semelhante dúvida não pode dar força à alma. Fico muito confortado e contente em tão boa companhia. E que se poderá dizer de quanta ajuda é para mim ter continuamente Jesus ao meu lado! Essa companhia me faz olhar com maior cuidado os atos que possam desagradar a Deus. Parece-me que Jesus está constantemente a me olhar. Se, alguma vez, perco a presença de Deus, sinto logo que nosso Senhor me chama ao dever. A voz com a qual me chama não sei explicar; sei, no entanto, que é muito penetrante, e a alma que a escuta não pode se negar a ela.

Não me pergunte, meu pai, como estou certo de ser nosso Senhor aquele que em tal visão se mostra, já que não vejo nada, nem com os olhos do corpo, nem com os do espírito, pois não sei, nem consigo dizer mais do que aquilo que já disse. Somente posso afirmar isto: aquele que está ao meu lado direito é nosso Senhor e não outro; e, mesmo antes que ele o tivesse dito, eu já tinha tal certeza na mente.

Essa graça produziu em mim muito bem. Minha alma é continuamente envolvida por uma grande paz; sinto-me ser fortemente consumido pelo desejo extremamente grande de agradar a Deus; a partir do momento em que o Senhor me favoreceu com essa graça, me fez olhar com imenso desprezo para tudo aquilo que não me ajuda a aproximar-me de Deus. Sinto uma inexplicável confusão por não poder saber de onde vem tal bem.

A minha alma é impulsionada pela mais viva gratidão, ao atestar que o Senhor lhe concedeu tal graça, independentemente de seu mérito; longe de sentir-se, por isso, superior a outras almas, crê, ao contrário, que, de todas as pessoas do mundo, ela é a que serve menos ao Senhor, já que, mediante essa graça, o Senhor lhe deu tal clareza, que ela reconhece ser, mais do que as outras almas, obrigada a servir e amar ao seu Criador.

Cada mínimo erro que cometo, para a alma é uma espada de dor que lhe transpassa o coração. Em certos momentos, sou levado a exclamar como o apóstolo, embora, ai de mim!, não com a mesma perfeição: "Eu vivo, mas não eu",[2] mas sinto existir alguém em mim.

---

[2] Gl 2,20.

O outro efeito dessa graça é que a vida está se tornando um cruel martírio, e só provo conforto no entregar-me a viver por amor de Jesus, embora, ai de mim!, meu pai, também nesse conforto a pena que, em certos momentos, sinto é insuportável, pois a alma gostaria que a vida fosse cheia de cruzes e de perseguições. Os próprios atos naturais — como comer, beber, dormir — são, para mim, um peso muito grande. A alma nesse estado geme, pois as horas correm muito lentamente para ela. Ao final de cada dia, sente-se como que desprendida de um grande peso e muito aliviada; mas logo se sente recair em uma profunda tristeza ao pensar que muitos dias de exílio lhe estão reservados; e é justamente nesses momentos que a alma é levada a gritar: "Ó vida, como és cruel para mim; como és longa! Ó vida, que para mim não és mais vida, mas tormento! Ó morte, não sei quem pode temer-te, já que através de ti se abre a vida!".

Antes de o Senhor me favorecer com essa graça, a dor dos meus pecados, a pena que eu sentia ao ver o Senhor ser ofendido, a plenitude dos afetos que eu sentia por Deus no coração não eram tão intensos a ponto de me fazerem perder o controle: mas agora, quando a dor se torna insuportável, obriga-me a desabafar em um grito agudíssimo, interminável. Depois dessa graça, a dor se fez ainda mais cruel, a ponto de parecer-me que o meu coração está atravessado de lado a lado.

Agora tenho a sensação de penetrar no martírio de nossa querida Mãe, o que não me fora possível anteriormente. Oh, se os seres humanos penetrassem nesse martírio! Quem conseguiria compadecer-se da nossa tão querida corredentora? Quem lhe recusaria o belo título de "rainha dos martírios"?

O pensamento da morte não me amedronta, nem mesmo ao considerar que os maiores santos, ao aproximarem-se dela, tremem; sinto o sangue congelar nas veias, pois acho que não é esse o auge de minha cegueira, justamente permitida por Deus pela pena das minhas inumeráveis infidelidades.

Reconheço claramente não ter feito nada pela glória de Deus, nada pela saúde das almas; ao contrário, muitos danos causei a muitas com a minha vida escandalosa; reconheço finalmente não ter feito nada por mim a não ser ter sido muitíssimas vezes assassinado por mim mesmo. Ó meu pai, não creia que seja a humildade que me dita tais palavras, Oh!, não, é a verdade, é a evidência.

Desejo então que a presente seja mostrada também ao padre leitor,[3] que neste mês estará aí. Examine, peço-lhe, o presente escrito, e, se o senhor encontrar nele engano do demônio, não me prive de me desenganar. Esse pensamento me faz tremer; eu não gostaria de ser vítima do demônio.

Venho, pois, lhe pedir um favor: desejo que esta carta seja destruída com as duas anteriores, tendo sempre presente que somente essa esperança fez abrir-me com maior confiança nestes escritos.

De resto, esse é apenas um desejo meu que submeto à sua bondade em querer atendê-lo. Mas, se o senhor não achar justo tal desejo, peço-lhe que estes meus escritos não sejam lidos por ninguém.

Termino pedindo-lhe a paterna bênção; que Jesus o encha com todas as graças que eu lhe peço para o senhor, e tenha sempre sobre o senhor a sua mão cheia de bênçãos.

Seu pobre,
frei Pio, capuchinho.

---

[3] Padre Agostino de San Marco in Lamis.

Carta 15

"TENHO GRANDE VONTADE DE SERVIR A DEUS COM PERFEIÇÃO."

Ao pensar certamente no precedente diálogo obtido nos primeiros anos de sacerdócio com padre Bento, padre Pio ilustra, nesta longa carta, os três efeitos principais dos "favores celestes": um admirável conhecimento de Deus, uma clara autopercepção humildemente subentendida e o são desprezo pelas coisas da Terra. É evidente que esse tipo de efeitos indica a obra da graça sobrenatural na criatura que crê e, assim, a dirige [154].

Pietrelcina, 1º de novembro de 1913.
J.M.J.D.F.C.

Meu caríssimo pai,
Que Jesus o assista sempre com a sua graça e o faça santo.
Eu lhe suplico, pelo amor de Jesus, para examinar atentamente a questão colocada no relatório que vou enviar ao senhor a respeito do meu espírito e não ser apressado nem terno ao querer julgar-me bem; ao contrário, ao saber que estou enganado, ajude-me, com a graça do Celeste Pai, a sair desse engano o mais rápido possível.

O modo ordinário de minha oração é este: logo que começo a orar, de repente, sinto que a alma começa a recolher-se em uma paz e tranquilidade que não consigo explicar com palavras. Os sentidos ficam suspensos, com exceção da audição que, muitas vezes, não é suspensa, mas normalmente isso não me incomoda e devo confessar que, mesmo que em torno a mim houvesse um grandíssimo barulho, não conseguiria me incomodar minimamente.

A partir disso, o senhor poderá entender por que poucas são as vezes que consigo descrever com o intelecto.

Muitas vezes, acontece que, em certos momentos — nos quais o contínuo pensamento de Deus, que está sempre comigo, afasta-se um pouco da minha mente —, sinto-me tocado por Nosso Senhor de uma maneira tão penetrante e suave no centro da alma, que, na maioria da vezes, sou levado a verter lágrimas de dor pela minha infidelidade e de ternura por ter um pai tão atento em chamar-me à sua presença.

Outras vezes, ao contrário, acontece de encontrar-me em uma grande aridez de espírito; sinto o meu corpo tomado de uma grande opressão pelas muitas enfermidades; sinto estar impossibilitado de poder recolher-me e orar, por mais boa intensão que tivesse.

Esse estado de coisas vai sempre se intensificando que, se eu não morro, é por um milagre do Senhor. Quando então agrada ao celeste esposo das almas colocar fim a esse martírio, manda-me em um instante uma tal devoção de espírito, a ponto de eu não poder de nenhum modo resistir a isso. Em um instante, fico totalmente mudado, enriquecido de graças sobrenaturais e tão cheio de forças, a ponto de desafiar todo o reino de satanás.

O que sei dizer sobre essa oração é que a alma parece se perder toda em Deus e que ela tira proveito desses momentos mais do que poderia fazer em muitos anos de exercício, com todos os seus esforços.

Muitas vezes, sinto-me absorvido por um ímpeto muito violento; sinto-me consumido por Deus; parece que vou morrer. Tudo isso nasce não de alguma consideração, mas de uma chama interna e de um amor tão excessivo que, se Deus não viesse me ajudar, logo eu seria consumido.

No passado, com meus esforços, algumas vezes eu conseguia acalmar esses ímpetos; agora não posso absolutamente me defender. O que vale dizer sobre isso, sem medo de errar, é que em nada eu contribuo. Sinto nesses momentos que a alma possui um ardoroso desejo de sair da vida e, já que percebe que não é satisfeita em seus desejos, sofre uma pena duríssima e, ao mesmo tempo, deliciosa, que não gostaria nunca que acabasse.

Parece à alma que todos os outros encontram consolação e alívio nos próprios males, e apenas ela se encontra sofrendo. O martírio que a leva a penetrar no próprio centro é tão superior à sua frágil natureza, que lhe seria impossível sofrê-lo se o piedoso Senhor não viesse, ele mesmo, moderar a violência com alguns êxtases, mediante os quais a pobre borboletinha se acalma e se aquieta, seja porque o Senhor a fez provar um pouco daquilo que ela deseja, seja ainda pelas elevadas coisas que algumas vezes descobre.

Tenho grande vontade de servir a Deus com perfeição. Então não existe para a alma tormento senão o sofrer com alegria. Também isso acontece de repente, sem nenhuma consideração minha. A alma não compreende de onde vem a grande coragem que sente.

Tais desejos consomem a alma interiormente porque ela compreende, por uma claríssima luz que o Senhor lhe dá, que não pode servir a Deus como gostaria. Tudo depois acaba nas delícias com as quais Deus a inunda.

Muitas vezes me aborrece o tratar com os outros, com exceção das pessoas às quais se fala de Deus e da preciosidade da alma. Justamente por isso amo a solidão.

Frequentemente, provo grande angústia ao me lembrar das necessidades da vida: comer, beber, dormir; sujeito-me como um condenado somente porque Deus quer.

Parece-me que o tempo passa rapidamente e que nunca tenho tempo suficiente para rezar. Sinto-me grandemente afeiçoado às boas leituras, mas leio muito pouco, pois estou impossibilitado pelas enfermidades e também porque, ao abrir o livro, depois de uma breve leitura, fico profundamente recolhido e da leitura passo à oração.

Desde o momento em que o Senhor começou a fazer essas coisas, sinto-me totalmente mudado, a ponto de não me reconhecer mais se comparar com o que eu era antes.

Sei claramente que, se em mim existe algum bem, este veio desses bens sobrenaturais. Então reconheço que cheguei à sólida determinação de sofrer tudo com resignação e prontidão, sem nunca me cansar de sofrer, embora — ai de mim! — com muitas imperfeições. Minha firmíssima resolução é não ofender a Deus, nem mesmo venialmente; eu sofreria mil vezes a morte do fogo, antes de cometer conscientemente algum pecado.

Sinto-me muito melhor na obediência ao confessor e ao meu diretor espiritual, a ponto de me considerar como um pouco menos que um danado se desobedecer-lhes em algo.

Quando as conversas se prolongam como um passatempo e eu não posso às vezes distanciar-me, tenho de fazer um grande esforço para mantê-las, o que me dá grande aborrecimento.

Não houve vez em que todas as coisas sobrenaturais não fossem para mim de notável proveito. Tais favores celestes produziram em mim, além dos próprios efeitos de qualquer favor, estes três efeitos principais: um admirável conhecimento de Deus e de sua incompreensível grandeza; um grande autoconhecimento e um profundo sentimento de humildade ao reconhecer-me muito atrevido, a ponto de ofender um padre tão santo; e um grande desprezo por todas as coisas da terra e um grande amor a Deus e à virtude.

Reconheço ter provindo desses tesouros celestes um grandíssimo desejo de me relacionar com pessoas que tiveram mais proveito com os caminhos da perfeição. Amo-as muito, pois parece que me ajudam muito no amar a Deus, o autor de todas as maravilhas. Sinto-me levado de forma muito intensa a abandonar-me por inteiro à providência; nenhum pensamento diferente desse me dá mais coisas prósperas do que adversas, e tudo isso acontece sem nenhuma ansiedade nem preocupação.

No passado, eu ficava confuso ao pensar que os outros saberiam que o Senhor opera em mim, mas há algum tempo não sinto mais confusão, pois vejo que não sou melhor que eles por causa desses favores; enxergo-me até pior e creio que pouco proveito fiz com todas essas graças. Tal é o conceito que tenho de mim, que não sei se existem outros piores; e, quando vejo nos outros certas coisas que parecem ser pecado, não posso convencer-me de que ofenderam a Deus, mesmo que seja evidente o que eu veja. Só me preocupo com o mal comum, que muitas vezes me dói muito.

A minha alma experimenta isso cotidianamente; mas, algumas vezes — raramente, no entanto —, por um bom tempo e até mesmo por vários dias, esses favores me são tirados e se apagam de tal maneira da minha mente, que eu não consigo lembrar nem mesmo o menor bem que esteve em mim. Parece que o meu espírito foi todo circundado por trevas e que de nada consigo lembrar-me.

Todos os males físicos e espirituais unem-se para atormentar-me. Sinto-me perturbado no espírito; não digo que gostaria de orar, que seria muito, mas ter um só pensamento de Deus, mas tudo nesse estado torna-se impossível. Então vejo que sou todo cheio de imperfeições; toda a coragem que antes eu sentia me abandona. Vejo-me muito fraco para praticar a virtude, para resistir aos assaltos dos inimigos. Convenço-me então, mais do que nunca, de que em nada sou bom. Uma profunda tristeza me acomete e um pensamento atroz atravessa a minha mente: o de poder ser um iludido sem saber que o sou. Somente Deus sabe que tormento é isso para mim! Quem sabe o Senhor, penso, como pena pelas minhas infidelidades, não poderia permitir que eu, sem saber, enganasse a mim mesmo e os diretores do meu espírito? E como vencer essa dúvida, se por uma luz que carrego na alma conheço muito bem os meus tantos tombos, nos quais involuntariamente sempre caio, apesar dos tantos tesouros do Senhor que carrego comigo?!

O que eu percebo com toda a verdade e clareza é que meu coração ama agora grandemente, muito mais do que o intelecto conhece. Não tenho sobre isso nenhuma dúvida; estou tão certo de amar que, depois das verdades de fé, de nenhuma outra coisa estou tão certo.

Posso dizer com certeza que, durante esse estado, não ofendo a Deus mais do que o de costume porque, graças ao céu, nunca perco a confiança nele. Tudo passa, assim que o Senhor se aproxima: o intelecto se enche de luz; sinto reviverem a fortaleza e todos os bons desejos e serem aliviadas até mesmo as enfermidades físicas.

Observei isso detalhadamente, mais de uma vez.

Julgue agora o senhor, meu querido pai, se isso que até agora expus é engano do demônio e abra o vosso interior a respeito disso, sempre que Jesus o queira.

Carta 16

"DEUS QUER CASAR-SE COM A ALMA NA FÉ [...]"

Encontramos aqui uma carta dirigida a padre Agostino, na qual padre Pio parece um mestre de autêntica vida espiritual, em virtude de sua ascensão nos degraus da escada da mística união com o sobrenatural. Ele, de fato, explica claramente todas as etapas necessárias para alcançar a união da alma com Deus. Trata-se de uma união de fé "pura", que, no entanto, é celebrada mediante a purificação de todas as imperfeições atuais e habituais, passando da criação, ferida pelo pecado, à nova criação [167].

Pietrelcina, 19 de dezembro de 1913.
I.M.I.D.F.C.

Meu caríssimo pai,
Jesus esteja sempre com o senhor.
Pelas iminentes festas do santo Natal, eu lhe envio, com ternura nos lábios e com afeto mais que filial, os meus sinceríssimos votos, pedindo ao Menino Jesus pela sua felicidade espiritual e temporal.

Que o nascituro Menino acolha as minhas pobres e fracas orações, que a ele levantarei com mais viva fé nesses santos dias pelo senhor, por todos os superiores, pelo mundo inteiro!

Que o celeste infante, além de acolher, aprecie os meus desejos, que são o de amá-lo quanto é capaz uma criatura de fazê-lo aqui na Terra e vê-lo igualmente amado por todos!

Que ele faça, enfim, descer um pouco do orvalho celeste nos corações das almas aflitas! Presentemente não tenho o que sugerir a elas, exceto afirmar que a sorte delas é invejável. Ao vê-las assim abatidas, sinto prazer no espírito e nutro por elas uma inveja santa, a da emulação. O estado delas — e, acima de tudo, o estado daquela em particular, querido pai — é tal no presente, que não sou capaz de sentir conforto proveniente de qualquer boa palavra que possa ser sugerida a elas.

Deus lançou o intelecto delas nas trevas; sua vontade foi posta na aridez; a memória, no vazio; o coração, na amargura, no abatimento, em uma extrema desolação; tudo isso é grandemente invejável, pois tudo concorre a dispor e preparar o coração delas para receber em si mesmo a forma verdadeira do espírito que outra coisa não é senão a união do amor.

Deus está com elas; isso deveria bastar-lhes para convencer aquela vontade sempre pronta de dedicar-se inteiramente a Deus e realizar obras a seu serviço e honra. Não se preocupem com isso, uma vez que esta vontade de dedicar-se a Deus e de realizar obras de glória e de honra à sua divina majestade produziu nelas um certo efeito doce e suave, ora no espírito, ora também no apetite sensitivo; tudo isso é pura casualidade, que Deus concede às almas fracas e ainda crianças no espírito, mas que depois lhes tira quando já fortificadas no espírito.

Deus quer casar-se com a alma na fé, e a alma que deve celebrar esse celeste matrimônio deve caminhar na pura fé, que é o meio adequado e único para essa união de amor. Para se elevar à divina contemplação, afirmo que a alma deve ser purificada não só de todas as atuais imperfeições mediante a purga dos sentidos, mas também de todas as imperfeições habituais que são certas afeições, certos hábitos imperfeitos que a purgação dos sentidos não conseguiu extirpar e que permanecem enraizadas na alma; isso se obtém com a purgação do espírito, mediante a qual Deus, com uma luz altíssima, penetra toda a alma, intimamente, a transpassa e a renova inteiramente.

Essa luz altíssima, que Deus faz descer nessas almas, envolve de maneira penal e desolante o seu espírito, de maneira a lhes causar aflições extremas e mortais penas interiores. Essas almas não são presentemente capazes de compreender essa divina operação, essa altíssima luz. Isso lhes acontece por duas razões: a primeira, por parte da própria luz, que é tão superior e tão sublime, a ponto de superar a capacidade de entender das almas, de ser a causa mais das trevas e dos tormentos delas do que de luz. A segunda, pela baixeza e impureza das próprias almas, pelas quais se torna não só obscura essa altíssima luz, mas também penosa e aflitiva; portanto, em vez de consolá-las, as faz sofrer, enchendo-as de grandes penas no apetite sensitivo e de graves angústias e penas horrendas nos vigores espirituais.

Tudo isso acontece no início; a divina luz encontra as almas indispostas à divina união; portanto, envolve as almas de modo purgativo; quando, depois, essa luz já as purgou, investe-as então de maneira iluminante, elevando-as à vista e à união perfeita de Deus.

Então se alegrem no Senhor da alta dignidade à qual ele as elevou e confiem plenamente no próprio Senhor, como fazia o santo Jó, que, colocado também ele por Deus em tal estado, esperava ver a luz depois das trevas.

Antes de terminar, estou curioso para saber por qual motivo aquela alma não se aproxima todos os dias da sagrada missa.

Tenha a compaixão de transmitir os meus cumprimentos a toda a comunidade e de retribuir os votos centuplicados a padre Paolino; que rezem por mim, pois o mesmo farei por eles.

Acolha as mais sinceras felicitações por parte dos conhecidos.

Frei Pio.

Carta 17

"O VERDADEIRO REMÉDIO [...] É APOIAR-SE NA CRUZ DE JESUS [...]"

É a carta em que padre Pio descreve finalmente a chama que o invade com um vivo amor. Ele conta que é muito delicada e doce, não produz dor. Ao mencionar a hermenêutica da inefabilidade à qual está submetido o espírito, sem poder exprimir como o divino Esposo o faz viver interiormente, padre Pio utiliza, nesta cartula, a famosa exemplificação do pobre pastor que, introduzido ao gabinete real, não consegue dizer nada sobre isso aos outros pastores [183].

Pietrelcina, 26 de março de 1914.
J.M.J.D.F.C.

Meu caríssimo pai,
Que Nosso Senhor esteja sempre em seu coração e o santifique.
Já se passaram cinco meses desde que lhe enviei o último relatório a respeito de meu espírito.
Desde aquela vez, o piedoso Senhor me ajudou poderosamente com a sua graça. O Senhor Deus ofereceu à minha alma dons muito grandes; parece-me que, com tão abundantes ajudas, o meu

espírito está melhorando naquilo que vou contar. A ele deem as criaturas todos os louvores e bênçãos pérpetuos!

Logo que me coloco a rezar, sinto meu coração invadido por uma chama de um vivo amor; essa chama não tem nada a ver com qualquer chama deste baixo mundo; uma chama delicada e muito doce que consome e não provoca sofrimento algum. É tão doce e tão deliciosa, que o espírito prova tal compaixão e fica saciado de modo a não perder o desejo; ó Deus! é uma coisa tão maravilhosa para mim, que eu talvez nunca consiga compreendê-la, senão na celeste pátria.

Esse desejo, longe de tolher a saciedade da alma, sempre a vai requintando. O prazer que a alma sente em seu centro, em vez de ficar diminuído pelo desejo, fica sempre mais aperfeiçoado; o mesmo se pode dizer do desejo de sempre gozar dessa vivíssima chama, já que este não é extinto pelo prazer, mas fica, pelo próprio prazer, muitíssimo refinado.

Por isso o senhor aqui compreenderá que vão se tornando raras as vezes em que eu posso discorrer com o intelecto e me valer do ofício dos sentidos.

Não sei se consegui fazer-me entender, não saberia me explicar melhor. A alma colocada pelo Senhor em tal estado, enriquecida de tantas cognições celestes, deveria ser mais expressiva; mas não, ela se tornou quase muda. Não sei se isso é um fenômeno que se confirma apenas em mim. Com termos muito genéricos e muitas vezes vazios também de sentido, a alma consegue exprimir alguma partícula daquilo que o esposo da alma vai operando nela.

Acredite, meu pai, que, para a alma, tudo isso não é leve tormento. Aqui acontece com a alma o que aconteceria a um pobre pastor se fosse introduzido em um gabinete real, onde está exposta uma infinidade de objetos preciosos que ele nunca viu na vida. O pastor, quando sair do local, terá certamente diante dos olhos da mente todos aqueles objetos diferentes, preciosos e belos, mas não saberá certamente nem indicar a quantidade, nem assinalar os nomes. Ele gostaria de falar aos outros sobre tudo aquilo que viu; uniria todas as suas forças intelectuais e científicas para bem se expressar; mas se colaria ao perceber depois que não conseguiria fazer-se entender, apesar de todos os esforços.

Isso é, portanto, o que ocorre em minha alma, que só pela divina bondade foi elevada a tal grau de oração. Ai de mim, meu pai, bem percebo que essa comparação não ajuda muito!

Todas as coisas extraordinárias, longe de cessar, sempre se tornam mais elevadas. Sinto que os êxtases se intensificaram e costumam acontecer com tal ímpeto, que são em vão todos os esforços para impedi-los. O Senhor tem dado à alma um maior desprendimento das coisas deste mundo baixo; e sinto que cada vez mais vai reforçando-a na santa liberdade de espírito.

Parece-me que Deus verteu no fundo desta alma muitas graças com respeito à compaixão das misérias alheias, particularmente quanto aos pobres necessitados. A grandíssima compaixão à vista de um pobre faz nascer no próprio centro dela um veemente desejo de socorrê-lo, e, se eu seguisse a minha vontade, seria compelido a me desfazer até mesmo das roupas para vesti-lo.

Quando sei que uma pessoa está aflita, seja na alma, seja no corpo, o que não farei junto do Senhor para vê-la livre de seus males? Para vê-la salva, com prazer tomarei todas as suas aflições, cedendo em seu favor o fruto desses sofrimentos, se o Senhor me permitir.

Vejo muito bem ser esse um favor singularíssimo de Deus, pois no passado, embora pela divina misericórdia não deixasse nunca de ajudar os necessitados, eu não tinha naturalmente, se não pouca, nenhuma piedade de suas misérias.

Graças aos favores que Deus não cessa de me dar, encontro-me muito melhor na confiança em Deus. No passado, às vezes, parecia-me precisar da ajuda de outras pessoas; agora, não mais. Sei, pela própria experiência, que o verdadeiro remédio para não cair é apoiar-se na cruz de Jesus, com confiança somente nele, que pela nossa salvação quis ser crucificado.

Rezei e rezo sempre para todas as finalidades que o senhor me pediu; mas me abstenho de fazer pedidos a Nosso Senhor com o propósito de obter uma resposta, visto ter ele mesmo me proibido. Se, no passado, o Senhor permitia que eu perguntasse em certas ocasiões, dependendo de sua vontade, há um tempo, no entanto, reprova esse velho modo de agir. "Esse modo bem convém", disse uma vez Nosso Senhor, "àqueles que são como 'crianças em meus caminhos', e eu quero que tu saias finalmente desse estado de infantilidade".

Reze, eu lhe peço, para quem intercede, embora com orações muito fracas, mas sempre e continuamente, por sua causa junto do Senhor.

Seu filho,
frei Pio.

Que o Senhor lhe pague pelos medicamentos que me enviou.

CARTA 18

"SEI QUE NINGUÉM É PURO DIANTE DO SENHOR [...]"

O realismo dos místicos é outro traço inconfundível da personalidade do padre Pio. No momento em que escreve, ele não se julga santo, mas somente alcançado pela santidade de Deus, que ilumina, por isso mesmo, a miséria dos próprios pecados. E padre Pio está consciente de que a sua juventude foi assinalada pela culpa (Sl 24,7), mas, igualmente, que a severidade de Deus para com o pecado corresponde à doçura de sua misericórdia [191].

Pietrelcina, 27 de maio de 1914.
I.M.I.D.F.C.

Meu caríssimo pai,
Que Jesus e Maria estejam sempre em seu coração e o tornem santo.
Recebi com a sua carta também a daquela alma. Agradeço a piedade do Senhor, que, em minha baixeza, não me priva de sua tão apreciada correspondência, a qual sei muito bem que não mereço.

Li a carta daquela pessoa, que o senhor me enviou com a sua, e me permiti dar a resposta diretamente, por ser isso a vontade do Senhor. Espero não merecer a sua censura por não ter me comportado segundo a sua sugestão. Se a liberdade que tomei causar o mínimo distúrbio, desde já lhe declaro que me retrato intimamente, prometendo-lhe não tomar mais tais liberdades. De resto, eu não creio ter feito mal e não agi por minha vontade.

Neste momento, meu pai, o meu espírito está gravemente oprimido; parece-me que a vida me detém; meu coração se despedaça em agudíssima dor, pela qual estou todo envolvido; densas trevas vão se condensando no horizonte de meu espírito, as quais apenas a misericórdia daquele que as causou as pode e as deve dispersar.

No entanto, a minha alma apodrecerá sob o peso de suas infidelidades para com o autor da vida. Sei que ninguém é puro diante do Senhor, mas a minha imundície não tem limites diante dele. No presente estado em que o piedoso Deus, em sua infinita sabedoria e justiça, vai se dignando em levantar o véu e manifestar-me as minhas faltas ocultas em toda a malícia e feiura delas, vejo-me tão disforme, que as minhas próprias vestimentas parecem que têm horror à minha imundície.

Isso acontece porque o tenebroso quadro não é representado por uma pessoa, com a qual agilmente a alma poderia desculpar--se, mas é representado por Deus, que, neste momento, quer falar com ela também um pouco como juiz sem apelo.

Neste estado, nenhuma criatura (nem humana nem angélica), por mais méritos que tenha, pode se interpor entre a pobre alma e Deus juiz, que reproduz este quadro tenebroso.

Oh! Felizes dias de minha vida, quando o dulcíssimo meu Bem estava comigo e habitava dentro de meu coração, para onde foram? O viver para mim é aborrecimento; deixe-me, ó Deus, livre o curso para os lamentos na amargura de meu coração! Não queirais agora lembrar, ó clementíssimo Pai, as culpas de minha juventude,[1] que já havíeis esquecido! Pelo amor de Deus! deixai, ó meu Deus, que eu chore sobre minhas iniquidades; muito melhor teria sido para mim se, antes que algum olho humano houvesse me visto, eu tivesse perecido dentro do ventre materno.[2]

Esses são os lamentos da alma neste estado. Agora, o que devo fazer? Submeto-me com resignação a essa operação do divino médico, conhecendo por uma longa experiência que tudo terminará com o triunfo da glória e a vantagem da alma.

Agrade, no entanto, ao Senhor, em sua bondade, colocar logo um véu à sua grande majestade que quer, nesses momentos, torná-la juiz de minha alma, a fim de que eu permaneça aniquilado e aterrorizado; entretanto, dê a mim, ele mesmo, palavras para defender a minha causa diante dele e força para sustentá-la diante de seu olhar.

Ai de mim, meu pai!, o que será de nós quando tivermos que comparecer com todas as nossas ações diante de nosso Deus juiz! Se tanto terror se prova agora a um simples retirar do véu que oculta de nossos olhos as nossas faltas, para fazer com que sejam admiradas em sua deformidade, o que será quando tivermos que levá-las e sustentá-las diante de seu severo olhar?!

Ó Deus, se todos conhecessem a vossa severidade, assim como a vossa doçura, que criatura seria tão estúpida em ousar vos ofender?

Meu Deus, três vezes justo e três vezes santo, manifestai-vos a todos aqueles que ousam ofender a vossa severa justiça, para que aprendam, se não a vos amar, ao menos a vos temer.

---

[1] Cf. Sl 24,7.
[2] Cf. Jó 10,18.

Quando terei a consolação de abraçar o senhor? Abençoe-me e reze a Jesus por mim.

Frei Pio.

O senhor pode assegurar àquela alma da qual me falou na sua penúltima carta que fique tranquila e que não tema, pois não há nenhuma razão, visto ser a sua alma muito aprovada pelo Senhor. Agradeço as orações que faz por mim e recomendo, por seu intermédio, que não pare de fazê-las.

Também eu, Deus sabe, rezo muito por sua perfeição.

CARTA 19

"REZO INCESSANTEMENTE AO DIVINO MENINO POR TODOS [...]"

Faltavam poucos dias para o Natal de 1914 e estava-se às vésperas da grande guerra. Por causa da precária saúde, na época padre Pio morava ainda na casa de familiares, em Pietrelcina, de onde escreve a padre Agostino, temendo ver-se desligado da ordem dos capuchinhos. No entanto, percebe-se envolvido pela confiança de cumprir somente, e cotidianamente, a vontade de Deus [220].

Pietrelcina, 19 de dezembro de 1914.
I.M.I.D.F.C.

Meu caríssimo pai,
Que a graça do Pai Celeste esteja sempre com o senhor e o torne sempre mais digno da pátria dos beatos compreensores.* Amém!
Da cama lhe escrevo estas poucas linhas para não o fazer passar as festas de Jesus Menino sem lhe desejar as mais eleitas graças.

---
* Aqueles que compreendem os mistérios divinos, segundo a teologia. (N.R.)

Creio ser inútil assegurar-lhe que eu rezo incessantemente ao Divino Menino por todos, especialmente pelo senhor, com quem tenho tantos vínculos, que seria uma monstruosidade não fazê-lo.

Nesses dias, depositarei aos pés do Menino Jesus não só as minhas pobres orações pelo senhor, mas também verterei lágrimas e lhe oferecerei todas as amarguras que oprimem o meu coração.

Que humilhação para mim, meu pai, ver-me separado da seráfica ordem. Dor muito aguda me sobreveio, apesar de eu estar preparado, logo que chegou a carta do provincial que me comunicava as decisões tomadas.

As muitas lágrimas que verti me causaram tanto mal também à saúde, que fui obrigado a ficar de cama, onde atualmente ainda me encontro. Seja feita a vontade divina. Será concedida também a mim, nessas santas festas, um pouco de consolação?! Estou preparado para tudo!

Escrevi rápido — e somente para obedecer-lhe — a padre Paolino, comunicando-lhe a vontade do senhor a respeito daquela questão;[1] prevejo boa saída para a situação.

Achei melhor escrever antes para ele, deixando no momento de escrever àquela alma. Logo que eu tiver uma resposta de Paolino, permitindo-o Jesus, escreverei também à alma.

Diga-me, se padre Paolino não quiser se dobrar àquilo que lhe comuniquei, deveria ou não, por isso, desistir de escrever àquela pobrezinha para comunicar-lhe a vontade do céu?

Reze por seu filho tão infeliz.

Frei Pio, capuchinho.

No dia de Natal, nós podemos comer gordura? Peço-lhe uma solícita resposta.

---

[1] Isto é, a correspondência epistolar entre diretor e alma direta; padre Pio escreveu a padre Paolino em 15 de dezembro.

CARTA 20

"[...] SOU UM CRUCIFICADO DO AMOR! NÃO AGUENTO MAIS!"

Carta particularmente significativa no itinerário que narra o recebimento dos estigmas; este testemunho escrito por padre Pio lembra o salmista que fala de si mesmo utilizando uma parte específica do próprio corpo (Sl 105,18), neste caso, a alma, na qual se encontra a estrutura do desejo, da aspiração, da ambição. Na *nefěs*, ou seja, na alma de padre Pio, o Senhor tem até mesmo imprimido "beijos e toques" definidos pelo santo como "substanciais" [235].

Pietrelcina, 18 de março de 1915.
J.M.J.D.F.C.

Meu caríssimo pai,
Que Jesus e Maria estejam sempre com o senhor e com todos aqueles que o amam sinceramente. Amém!
Respondo com dois longos dias de atraso à sua preciosíssima carta, pois a crise, da qual falei outrora, nesses dias mais do que nunca, se acentuou. Com dificuldade, consigo agora colocar nesta carta estas breves palavras.

Pai, que me seja concedido desabafar ao menos com o senhor: sou um crucificado do amor! Não aguento mais! É um alimento muito delicado para quem está acostumado a alimentos grosseiros, e é justamente isso que produz em mim, continuamente, fortíssimas indigestões espirituais, que crescem a ponto de fazer gemer a pobre alma, por vivíssima dor e amor ao mesmo tempo. A pobrezinha não sabe adaptar-se a este novo modo que o Senhor tem com ela; e eis que o beijo e o toque, por assim dizer, substanciais que o amorosíssimo Pai Celeste imprime na alma, ainda lhe causam extrema dor.

Que o bom Jesus o faça compreender o meu verdadeiro estado! No entanto, eu lhe suplico, queira usar ainda outro pouco de caridade e pronunciar-se a respeito disso.

O satisfazer, caríssimo pai, às necessidades da vida, como o comer, o beber, o dormir etc., me são de muito peso, que não saberia encontrar comparação senão nas penas que devem ter experimentado os nossos mártires no momento da suprema prova.

Pai, não acredite que haja nessa semelhança um exagero: não, a situação é mesmo assim. Se o Senhor, em sua bondade, não me tirar a reflexão, como no passado, no momento em que devo satisfazer tais ações, sinto que não poderei aguentar muito mais, sinto faltar o chão sob os pés. Que o Senhor me ajude e me liberte de tanta angústia! Queira proceder e me tratar como convenha. Sou um rebelde contínuo às divinas operações e não mereço, de fato, ser tratado de tal modo.

Acolha, pois, ó pai, os meus sinceríssimos votos, que lhe faço de todo o coração por ocasião de seu onomástico. Queira o bom Deus atender a todos os meus desejos, que fiz pelo senhor. Conceda-lhe um luminoso pôr do sol, muito mais esplendoroso do que foi a sua vida.

Esse é o meu desejo, que em mim encontra-se muito mais belo pelo senhor.

O bom Jesus quer consolar aquela alma, por meu intermédio, com uma correspondência direta. Agir diferentemente seria para a pobrezinha pior confusão e de maior gravidade. Para tal fim, e a fim de evitar possíveis e sérios embaraços, a minha carta para ela poderia ser endereçada a seu confessor.

Peço-lhe, se achar justo, enviar-me o endereço do confessor dela. Entendo que isso pareça de extrema confusão, mas não se pode fazer de outro modo: o senhor já sabe como Jesus é intransigente sobre certas questões.

Não aguento mais; termino pedindo a sua paterna bênção e uma oração para mim ao Senhor, pela minha sincera conversão a ele.

Seu pobre,
frei Pio, capuchinho.

Carta 21

"A MINHA CRISE É EXTREMAMENTE ANGUSTIANTE."

É uma carta composta e datada no mesmo dia da anterior, 18 de março de 1915, o que ratifica a efervescência epistolar do capuchinho estigmatizado no período de sua permanência em Pietrelcina —, mas, na realidade, é o emblema da necessidade de poder tempestivamente se comunicar com o próprio diretor espiritual. E é compreensível que, longe daquele que o iluminava no discernimento, deseje revê-lo ou, ao menos, receber também uma carta como resposta [236].

Pietrelcina, 18 de março de 1915.
I.M.I.D.F.C.

Meu caríssimo pai,
Que o Espírito o santifique e o ilumine sempre mais com os bens eternos, a nós reservados pela bondade do Celeste Pai. Amém!
Que Jesus lhe dê conhecimento do meu verdadeiro estado atual. Sou um crucificado do amor, meu caro pai! A minha crise é extremamente angustiante.

Reze a Jesus por mim e não deixe de escrever-me sempre e frequentemente, perdoando se não receber resposta.

Desejaria revê-lo e, para dizer a verdade, esperava fazê-lo quando retornasse de sua missão. Jesus não quer; seja sempre bendito!

Não posso continuar, o meu estado de ânimo atual não me permite. Perdoe-me.

Abençoe-me sempre.

Frei Pio, capuchinho.

CARTA 22

"JESUS ME DISSE [...]"

Cada carta de padre Pio precisaria de uma exploração semântica dos conteúdos espirituais que estão presentes nesta. De fato, nesta, padre Pio profetiza o início da guerra na Itália, em 1915 — mas este não foi, obviamente, mera profecia dirigida ao futuro —, enquanto confessa sentir-se impulsionado a interceder por pessoas que nem mesmo conhece, observando maravilhado que Jesus o atende nessa precisa categoria de irmãos, evidentemente necessitados de ajuda solidária [249].

Pietrelcina, 21 de abril de 1915.
J.M.J.D.F.C.

Meu caríssimo pai,
Que as chamas do divino amor consumam no senhor tudo aquilo que não agrada aos olhos do divino esposo: Jesus o faça santo. Amém!
Essa manhã, Jesus veio; ao lhe perguntar sobre como que deveria responder às suas perguntas, ele me disse:

> Ao teu pai, está decidido, em compensação pelos cansaços sustentados por minha glória, a alegria do espírito... Diversas

providências foram tomadas para fazer reflorescer na província o espírito do Fundador; os frutos ainda são poucos. Insiste e vigia para que as providências tomadas não sejam facilmente esquecidas.[1]

Aqui Jesus parou um pouco; logo depois retomou:

> A Itália, meu filho, não quis escutar a voz do amor. Soube, no entanto, que há tempos eu mantenho suspenso o braço de meu Pai, que quer lançar sobre essa filha adúltera os seus raios. Esperava-se que as desventuras alheias a tivessem feito cair em si, que a tivessem feito entoar o *miserere* a seu tempo. Não soube apreciar nem mesmo este último traço de meu amor; por isso, o seu pecado tornou-se mais abominável diante de mim... A ela está reservada certamente a sorte tocada às suas companheiras.

Pai, não se irrite comigo, se deixo insatisfeita alguma pergunta sua; eu não conheço nem sei nada mais. Mas não duvide; se agradar a Jesus dizer-me algo a respeito, prometo-lhe dizer-lhe logo, bem conhecendo que a obrigação de responder às suas perguntas perdura sempre.

Como faço, ó pai, para que, quando estou com Jesus, tudo aquilo que tenho intenção e vontade resoluta de pedir-lhe me venha à mente? E sinto mesmo uma imensa dor dessa minha falta de memória. Como explicá-lo? Ninguém até hoje pôde convencer-me plenamente.

Escute uma coisa muito estranha. Quando estou com Jesus, ocorre perguntar a ele coisas, as quais nunca tive em mente antes; ou apresentar-lhe pessoas que não só nunca me passaram em mente, mas também — o que mais me maravilha — que não conheço pessoas e nunca ouvi falar delas.

---

[1] No manuscrito, segue-se uma linha e meia apagada de tal maneira a não permitir a transcrição, nem mesmo aproximativa.

E aqui faço uma observação: que, quando isso acontece, não me lembro de Jesus não estar de acordo, em favor das tais pessoas pelas quais lhe peço.

Rendo vivíssimas graças a Jesus pelas certezas que o senhor me deu, em nome dele, em sua última carta. Peço-lhe que, ao fazer a caridade de escrever-me, faça ainda outra: escrever-me sempre.

Concordo que sou muito pretensioso com o senhor, mas perdoe a minha fraqueza: para meu atual estado, as cartas me dão um pouquinho de luz.

Frei Pio.

CARTA 23

"[...] SEI MUITO BEM QUE A CRUZ É O PENHOR DO AMOR [...]"

As respostas de padre Agostino às frequentes perguntas colocadas por padre Pio jorram como "luz do paraíso" e são "como orvalho benéfico" para o trabalhoso itinerário espiritual e místico a que é chamado o jovem capuchinho, fechado em casa com seus familiares. Diante da própria vulnerabilidade e excitação emocional, o nosso santo cobre "o rosto, de vergonha", consciente de possuir uma natureza que exige demasiadamente ser consolada [250].

Pietrelcina, 21 de abril de 1915.
I.M.I.D.F.C.

Meu caríssimo pai,
Que Jesus o faça santo e lhe conceda todo o bem que desejar para outras almas. Amém!
Viva Jesus! A sua última carta trouxe ao meu espírito extremamente amargurado um pouco de consolação. O senhor, com esta sua carta, jogou um pouco de luz no meu espírito: luz muito tênue, mas, graças aos céus, suficiente para poder iluminar onde

se coloca o pé e para não tropeçar; luz que me comunica a força para eu poder carregar a cruz e me fazer sentir um pouquinho menos o seu enorme peso.

Cubro o meu rosto, de vergonha; sei muito bem que a cruz é o penhor do amor, a cruz é sinal de perdão, e o amor que não é alimentado, nutrido pela cruz, não é verdadeiro amor; reduz-se a fogo de palha. E com essa consciência, este falso discípulo do Nazareno sente pesar a cruz enormemente no coração e muitas vezes (não se escandalize nem se horrorize, ó pai, diante daquilo que estou por dizer) deseja que o piedoso cireneu o alivie e o conforte.

Que mérito poderá ter este meu amor junto de Deus? Temo fortemente por isto: que o meu amor por Deus seja verdadeiro amor. E isso é uma das muitas espadas unidas a tantas outras, que em certos momentos me oprimem a ponto de eu ser esmagado.

Meu pai, tenho grandíssimo desejo de sofrer por amor de Jesus. E como faço, se à prova, contra a minha vontade, busca-se alívio? Quanta força e quanta violência devo utilizar nessas provas para silenciar a natureza — assim a chamemos —, que exige demasiadamente ser consolada!

Eu não queria sentir essa luta; muitas vezes me faz chorar como uma criança, pois me parece que seja uma falta de amor e de correspondência a Deus. O que me diz a esse respeito?

Escreva-me, quando Jesus o quiser, e sempre por muito tempo; eu espero as suas respostas sobre tantos problemas, dúvidas e dificuldades, como a luz do paraíso, como orvalho benéfico sobre a planta sedenta.

Abençoe-me, ó pai, e reze sempre por quem se lembra continuamente do senhor diante do Senhor.

O arquipresbítero, os meus familiares e todos os amigos lhe enviam votos e o cumprimentam cordialmente.

Seu pobre filho,
frei Pio, capuchinho.

CARTA 24

"IGNORO O QUE QUER DIZER TUDO ISSO PARA MIM."

A mesma urgência de ser guiado é dirigida também a outro precedente diretor espiritual, padre Bento, nesta carta escrita no mesmo ano (1915). Padre Pio solicita que seu primeiro diretor leia toda a sua correspondência enviada para padre Agostinho, para obter daquele uma "sentença de morte ou de vida", aqui entendida como uma ratificação para continuar no percurso empreendido pelo discernimento espiritual ou para recuar [280].

Pietrelcina, 4 de setembro de 1915.
J.M.J.D.F.C.

Meu caríssimo pai,
Jesus seja sempre o rei supremo do seu coração. Amém! Saber pelo padre leitor que o fato de não haver dado nenhum cotejo e nenhuma resposta a certas dúvidas que me atravessam a alma; saber que a sua surdez e indiferença não foram com o propósito de fazer-me experimentar o seu silêncio, mas por inocente esquecimento reanimam-me um pouquinho e tornam-se doce

conforto em meio a tanta desolação de espírito, à qual o Senhor quer submeter o seu pobre servo.

O meu presente estado, tanto físico como moral, é muito desolador e torna-se absolutamente impossível conseguir suportá-lo e até mesmo descrevê-lo. Das cartas escritas a padre Agostino, o senhor pode ter uma ideia menos adequada do estado em que há um tempo estou. Ignoro o que quer dizer tudo isso para mim. Ignoro se eu sou digno de ódio ou de amor.

Peço-lhe, portanto, que leia atentamente as cartas que o padre leitor o fará ler e depois dê a sua sentença a propósito. Não queira, meu pai, recusar-se a dar-me uma resposta a esse respeito, pois talvez o senhor pronuncie uma sentença que conseguirá me dar conforto.

Tire-me, pelo amor da Virgem Nossa Senhora das Dores, de uma incerteza tão cruel. Salve-me, se naufraguei; reerga-me, se souber que caí.

À espera de ler a sua sentença de morte ou de vida, desejo-lhe, por meio do dulcíssimo Jesus, toda consolação celeste e, beijando-lhe a mão, peço-lhe que queira dignar a sua paterna bênção a este muito indigno filho seu.

Frei Pio, capuchinho.

Parte II
VÍTIMA PARA CONSOLAR JESUS

INTRODUÇÃO

"Eu vivo, mas não eu [...]" (Gl 2,20).

Sacerdote estigmatizado

O coração da existência cristã está na descoberta de que Jesus Cristo é, simultaneamente, chamado e aquele que chama. Como mediador entre Deus e os seres humanos (At 17,31), Cristo é chamado pelo Pai, mas é dele que descendem as várias mediações, que na história dos cristãos são visualizadas como chamados para a conversão, para o viver na Igreja, para ser evangelizador e, para alguns, também presbítero. A mediação do sacerdote é a mediação unificante do carisma contemplativo de um para muitos, de um para a comunidade, de um no qual a comunidade se reconhece e se unifica. Nesta segunda parte do *Epistolário* de padre Pio, estão as cartas em que aparecem, no santo de Gargano, o ser presbítero e o ser assinalado pelo dom dos estigmas que se conjugam, em sua pessoa, em uma unidade indivisível.

Se, de fato, o carisma profético deve permanecer em toda a Igreja até a vinda final do Senhor glorioso, e caso os estigmas sejam retomados no permanecer desse carisma na história também atual da Igreja, padre Pio será certamente lembrado por ter sido o primeiro sacerdote estigmatizado. Na dialética de palavra e sinal característico da revelação cristã, aqui deve estar certamente presente, de maneira oculta, um significado válido para todos os sacerdotes e, sobretudo, para aqueles que se dirigem com fé e amor para tal caminho. No santo capuchinho Pio de Pietrelcina, de fato, o sinal dos estigmas não podem ser corretamente compreendidos se não se souber que ele era também um sacerdote. Os traços de espiritualidade sacerdotal que, dessa perspectiva, podem ser retirados das cartas publicadas nesta segunda parte do *Epistolário* de padre Pio revestem-se não só dos cânones clássicos da mística cristã, mas também do caráter de uma indubitável atualidade.

A seleção da correspondência epistolar para esta segunda parte diz respeito ao tema da estigmatização; apesar disso, os trechos podem ser agrupados em torno a estes três temas: cartas que descrevem a felicidade da alma no encontro com Deus, particularmente revelado em seu Filho Jesus; trechos que fazem referência à situação de sofrimento da alma; textos que exprimem o desejo de cumprir a vontade do Pai, que está nos céus. Mas estes são também os modos pelos quais padre Pio viveu, como sacerdote marcado pelos estigmas, a sua consagração à difusão do Reino de Deus, pelo bem das almas, modos que canalizam toda a existência sacerdotal, seja mais ou menos jovem, para Cristo sacerdote.

O segredo do Rei não se deve revelar

Com o sinal e o dom dos estigmas, padre Pio é um sacerdote que, como os outros, possui um segredo que não pode revelar, o segredo do Rei de toda existência presbiteral, que é o Deus de Jesus Cristo. Padre Pio estigmatizado revela, de maneira inequívoca, a relação pessoal que subsiste entre Deus e a pessoa consagrada que opera e anuncia em *persona Christi*. É uma relação que padre Pio, citando o Cântico dos Cânticos (6,3), exprimia assim: "Eu sou para o meu amado e meu amado é para mim" (Carta 1). A esse respeito, é interessante notar que, entre os livros do Antigo Testamento, os mais citados nas cartas são Jó, os Salmos e o Cântico dos Cânticos. Os dois primeiros são apresentados, sobretudo na fase da noite escura, para descrever o sofrimento espiritual de padre Pio, a sua identificação com o pecador que se percebe distante de Deus, ou com Jó que, tomado pelo sofrimento, busca em Deus o seu ponto de estável referência. Mas é sobretudo na citação do Cântico dos Cânticos que aflora o *animus* sacerdotal do santo de Gargano, ou seja, nos ímpetos de amor e de alegria para o seu deleite: "Diga a ele que, até que uma alma chegue a receber esse beijo, não poderá jamais estabelecer um pacto com ele" (Carta 1). Padre Pio vive uma forte tensão com respeito a esse amor, busca-o, possui-o, deseja-o novamente. Jesus não mais é apenas um modelo, mas torna-se uma presença envolvente, a tal ponto que padre Pio gostaria de fazer suas as palavras de são Paulo: "Eu vivo, mas não eu: é Cristo que vive em mim" (Gl 2,20).

O desejo da presença de Jesus na vida de padre Pio torna-se uma verdadeira e própria assimilação do Filho de Deus e produz nele profunda doçura. Nas cartas que vão de 1910 a 1912, as do primeiro período, percebe-se toda a alegria dessa alma sacerdotal e estigmatizada que sente ser invadida por Cristo: "É uma felicidade que apenas nas aflições o Senhor me faz provar". O que o Senhor cumpre no espírito de padre Pio é uma obra de verdadeira sedução, levando-o a oferecer-se como vítima para consolar Jesus, superando, no contato com Cristo, as dimensões do tempo e do espaço, e inserindo-o em uma atmosfera de profunda serenidade. Em uma carta de 10 de agosto de 1911, escrita na ocasião de sua ordenação sacerdotal, exprime-se assim: "Comparando a paz do coração, que senti naquele dia, com a paz do coração que começo a provar desde a vigília, não encontro nada de diferente".

As cartas desse período, obviamente precedente ao da estigmatização, são ricas de frases parecidas com essa última. Nelas transparece o fato de que padre Pio conhece Jesus como pessoa, em uma relação interpessoal completamente satisfatória, sedutora, mas, sobretudo, segura — três peculiaridades, sabe-se, que dão fundamento duradouro à existência de um sacerdote. Padre Pio se dá conta do autêntico valor de Cristo e está na posição de quem está disposto a pagar qualquer preço para comprar o campo onde encontrou o tesouro escondido (Mt 13,44), ou seja, aquele amor cujo nome não ousa dizer, aquele segredo do Rei que não se pode revelar completamente (Tb 12,7).

Sofrimento da alma

Paralelamente às citações do Cântico dos Cânticos, como se observará, estão presentes nas cartas de padre Pio muitas citações retiradas do livro dos Salmos e do de Jó. O santo de Gargano utiliza os Salmos para louvar o Senhor e Jó como exemplo de paciência. Sobretudo esses dois livros, mais uma citação de Jonas, servem para descrever a situação de sofrimento que padre Pio vive no período da "noite escura", tempo imediatamente anterior e posterior à manifestação do dom dos estigmas. Assim escreve padre Pio, retomando as palavras de Jó: "Óh! Felizes dias de minha vida, quando o meu dulcíssimo Bem estava comigo e morava dentro de meu coração, para onde foram?". Mas que sentido tem o fenômeno místico denominado "noite escura"? Como é descrita por padre Pio nas cartas publicadas, a causa da "noite escura" é reconduzir-se a experiências espirituais de profunda serenidade e doçura que uma alma vive em sua relação pessoal com Jesus (Carta 5). A certo ponto, para elevar-se à divina união com o Esposo, é necessário que a alma seja purificada de toda imperfeição atual e habitual. Tudo isso acontece por meio daquilo que padre Pio chama de "Luz altíssima que penetra toda a alma, intimamente a percorre e a renova". Essa luz investe a alma de maneira "penalizante e desoladora", causando-lhe "aflições extremas e mortais penas interiores". O que mais assusta é que, nesse período, a alma não consegue compreender a obra de Deus; então, é tomada por fortes angústias e sofrimentos. A ideia do pecado a oprime a tal ponto, que só uma graça particular de Deus a impede de perder-se. É essa graça que une nele, como em cada sacerdote, a profunda doçura e serenidade de estar permanentemente ligado à pessoa de Jesus, ainda que possa estar momentaneamente presente no instante daquela noite escura que gera privação e, portanto, sofrimento.

Filho de uma espiritualidade declaradamente franciscana, padre Pio afirma ser Jesus, de fato, antes de qualquer coisa, o Bem: um Bem supremo, muito diferente, contudo, daquele que enchia de felicidade a alma nos primeiros períodos de sua vida mística. É um Bem que é totalidade, plenitude, mas amargamente padre Pio constata que é também um Bem que, nesse momento, se distancia, que deixa um vazio tremendo e não se deixa encontrar. De fato, a totalidade que enche a alma é também uma força moral, pela qual a alma percebe, na plenitude, a própria miséria. Mas, se falta a presença, permanece apenas o nada. Dessa perspectiva, afloram as páginas mais conhecidas das cartas de padre Pio, nas quais se lê uma dor profunda que se eleva primeiro a Deus, depois ao pai espiritual, do qual se invoca uma luz: "Poderá se salvar esta alma pecadora?" (Carta 13). Prosseguindo no *Epistolário*, percebe-se que o momento purificador é alcançado na absoluta obscuridade, quando Deus não se faz ver, quando Deus se cala.

Eis aqui, também para padre Pio, o momento da Paixão representado pelo grito: "Meu Deus, meu Deus, por que me abandonastes?" (Carta 3), frequentemente reapresentado nas cartas a seus diretores espirituais.

Jesus é a terra prometida de todo sacerdote

Como sinal do permanecer da profecia na Igreja, o dom dos estigmas, manifestado ao jovem padre Pio, oferece ao santo a consciência de carregar às costas o peso da fidelidade à Palavra de Deus. É um pequeno fardo do qual não pode dispor, nem se libertar, pois a obediência à vontade de Deus Pai corresponde à fidelidade à palavra recebida, apesar de qualquer provocação externa ou desejo do povo. O chamado a ser profeta possui um caráter tão vinculador com a palavra recebida, que ninguém — e nada — pode dissuadir-se de cumprir a missão ao fazer o *fiat voluntas tua*. Também por esse terceiro aspecto, padre Pio sabe bem que tudo isso significa percorrer caminhos desconhecidos ou em clara oposição às perspectivas humanas, porque não foi fácil para ele permanecer fiel à palavra. A tentação de sucumbir aos desejos das pessoas e ao que a elas agradava aparece em várias cartas. Também a tensão em ter que escolher entre a obediência a Deus e o desejo do que o povo gostaria de ouvir não foi, absolutamente, um traço desconhecido na vida espiritual do santo. É sabido que também para ele se tornou inevitável a escolha entre o viver tranquilo em meio aos outros, ou o sofrer castigos pela fidelidade à palavra.

A possibilidade realizada dessa fidelidade ao cumprir a vontade de Deus gira em torno à fonte primeira da própria vida mística de padre Pio: assemelhar-se cada vez mais a Cristo, modelo da existência sacerdotal. Para ele, de fato, a obra de Cristo desenvolve-se em dois momentos: de um lado, é Jesus que torna o ser humano semelhante a si; de outro, Cristo busca cada vez mais habitar em padre Pio, tornar a sua alma, os seus sentidos, verdadeira e completamente seus, ou seja, de Cristo. Encontramo-nos aqui, efetivamente, diante de uma união transformadora que, sobretudo no período que vai de 1917 a 1918, é acompanhada por numerosos fenômenos místicos, como o delíquio e o letargo dos poderes e dos sentidos, as feridas do amor no coração, o toque substancial, a transverberação. São manifestações que, de alguma maneira, preludem a estigmatização.

Na maioria das vezes, no entanto, padre Pio parece deixar-se levar pela grandeza do que prova; assim, do fenômeno do distanciamento, passa a ter diversos momentos de intimidade com Deus. Evágrio Pôntico († 399), em seu *De oratione*, explica que nessas situações encontramo-nos diante de uma "ignorância infinita" do ambiente, até alcançar não mais um simples êxtase, mas uma "catástase", que é uma espécie de situação dirigida unicamente à visão e à contemplação de Deus. É o itinerário cognoscitivo de Deus, ao qual se refere também Gregório de Nissa (335-395), quando fala de um estado de luz seguido de nuvens e de trevas, em que o intelecto é colocado diante de sua incapacidade de contemplar Deus sem ter que sair de si mesmo. Também padre Pio fala de Deus, que se vai escondendo "atrás de uma nuvem", ou em uma "densa névoa", ou explode em expressões como: "Como é feliz o reino interior!" (Carta 11).

Enquanto o amor e a dor imprimem-se em seu espírito nesse alternar-se de densa escuridão e extraordinários fulgores, padre Pio entra em contato com o absoluto, com o próprio Deus. As forças físicas não opõem mais nenhuma resistência, e a palavra se torna silêncio. Eis o que o santo capuchinho escreve em uma de suas cartas mais significativas, em que ele consegue imprimir até mesmo traços de autêntico lirismo:

> Uma só vez senti na mais secreta e íntima parte do meu espírito algo tão delicado, que não sei como explicar. A alma sentiu em primeiro lugar, sem poder ver, a presença dele; em seguida, por assim dizer, ele se aproximou tanto da alma, que ela percebeu plenamente o seu toque, para se ter uma ideia, como só ocorre quando o nosso corpo toca outro estreitamente. Não sei dizer nada a respeito disso, só lhe confesso que, a princípio, fui tomado por um grande medo; pouco depois, esse medo foi transformado em uma celestial embriaguez. Pareceu-me que não estivesse mais no estado passageiro; não saberia dizer ao senhor se, quando isso aconteceu, percebi ou não se ainda estava neste corpo. Só Deus sabe; eu não saberia dizer ao senhor nada que melhor explicasse esse acontecimento (Carta 4).

É esse o momento culminante da obra de Cristo, no qual a alma é intensamente envolvida em um estado de tranquilidade absoluta e pelo qual ela pode, então, cumprir plenamente a vontade do Pai, obedecendo fielmente à palavra recebida. E tudo isso, se é válido para padre Pio, igualmente vale para qualquer sacerdote chamado à mesma missão. O Divino Mestre não mais é somente a luz, não somente o guia, mas é o lugar dentro do qual o ser humano realiza em plenitude a sua felicidade. Jesus é a terra prometida, é a pessoa em quem Deus se manifesta em toda a sua totalidade e representabilidade. Enfim, é o ambiente no qual o Pai se revela no Espírito. Jesus é o vivente, é a palavra reveladora do Pai, a palavra que em padre Pio foi traçada com o sinal dos estigmas, para confirmar, com o dom do sofrimento, que ele foi imitador de Francisco de Assis, como Francisco foi de Cristo.

Gianluigi Pasquale, ofm cap.

Carta 1

"MEU DEUS! SERÁ VERDADE TUDO AQUILO QUE ME ANUNCIASTES?"

Nesta carta, padre Pio revela os três grandes segredos, a pedido de padre Agostino. O primeiro diz respeito às celestes visões, que começaram não muito depois do ano do noviciado, portanto, por volta de 1904. Frei Pio tinha então pouco mais de 17 anos e começara havia pouco a vestir as lãs do saio franciscano! O segundo segredo confirma que, desde jovem, apareceram-lhe os estigmas e, consequentemente, a dor. Contudo, o jovem frade pediu que o Senhor o libertasse imediatamente, o que aconteceu, mas a dor não desapareceu. O terceiro segredo é ainda desconhecido: frei Pio, de fato, experimentou também a coroação de espinhos e a flagelação [290].

Pietrelcina, 10 de outubro de 1915.
I.M.I.D.F.C.

Meu caríssimo pai,
    Que a paz de Jesus guarde o seu coração de todo sinal de culpa, e a Virgem santíssima obtenha para o senhor, de seu Filho, a abundância da graça, que o faça sempre caminhar

de maneira digna em sua vocação, com toda a humildade e mansidão. Amém.

Recebi a sua última carta, li-a com estupor e me pareceu estar sonhando de olhos abertos. Meu Deus! Será verdade tudo aquilo que o senhor me anunciou? Será possível que o Senhor tenha que permanecer glorificado em uma tão mesquinha criatura sua?

Que agrade ao Senhor conceder os nossos votos comuns e realizar o sonho do senhor a meu respeito! Quanto a mim, não ficarei chorando todo o tempo que me resta de vida, já que o senhor sabe o quanto me atormenta o coração ver tantos pobres cegos, que fogem mais do que do fogo do dulcíssimo convite do divino Mestre: "Se alguém tem sede, venha a mim e beba".[1]

O meu espírito se vê extremamente atormentado ao encontrar-se diante desses verdadeiros cegos que não sentem piedade de si mesmos — as paixões tiraram deles o bom senso —, que não sonham nem mesmo em beber dessa verdadeira água do paraíso.

Observe, ó pai, e depois me diga se tenho razão em levar infeliz vida em razão da loucura desses cegos. Veja como triunfam os inimigos da cruz, sempre mais, a cada dia. Céus! Eles continuamente queimam em fogo vivo, entre milhares de desejos de satisfações terrenas.

Jesus os convida a saciarem-se com a água sempre viva. Jesus sabe muito bem o quanto eles precisam beber até saciarem-se dessa nova água, que ele mantém à disposição de quem verdadeiramente tem sede, para não perecer em meio às chamas pelas quais são devorados.

Jesus dirige a eles o terníssimo convite: "Se alguém tem sede, venha a mim e beba",[2] mas, meu Deus, que respostas obtendes desses infelizes? Eles dão sinais de não entender, fogem e, o que é

---

[1] Cf. Jo 7,37.
[2] Idem.

pior, esses miseráveis costumam há muito tempo viver no fogo das satisfações terrenas; envelhecidos entre as chamas, não escutam mais os vossos amorosos convites, nem mesmo se dão conta do grande e horrendo perigo que correm.

Que remédio pode ser usado para esses Judas infelizes para fazê-los cair em si? Que remédio se pode esperar para que esses verdadeiros mortos ressuscitem? Ai, meu pai! A alma explode de dor; mas, também a esses, Jesus fez um voto, deu um abraço, um beijo; para esses míseros, porém, foi um voto que não os santificou, um abraço que não os converteu, um beijo, ai de mim!, por assim dizer, que não somente não os salvou, mas que talvez, em sua grande maioria, não os salvará jamais!

A divina piedade não mais os amolece; não são atraídos com os benefícios; não são domados com os castigos, são insolentes com os bons; enfurecem-se com os austeros; na prosperidade, irritam-se; na adversidade, desesperam-se; surdos, cegos, insensíveis a todo bom convite e a toda reprovação atroz da divina piedade, que poderia fazê-los acordar e convertê-los, não fazem nada mais que comprovar o seu endurecimento e tornar mais intensas as suas trevas.

Mas, ó meu pai, como sou tolo! O que me assegura que não seja também eu um desses infelizes? Sinto, é verdade, também sede dessa verdadeira água do paraíso, mas quem sabe se não é essa, na verdade, a que ardentemente deseja a minha alma?

Esse tormento vai se intensificando sempre, à medida que essa água não mata a sede, mas a faz crescer sempre mais.

Não é essa talvez, ó pai, uma razão muito poderosa para fortemente duvidar de que essa água que a minha pobre alma deseja não seja propriamente aquela que o dulcíssimo Salvador nos convida a beber a grandes goles?

Que agrade ao Senhor, fonte de toda a vida, não querer negar a mim essa água tão doce e tão preciosa, que ele, na exuberância de seu amor para com os seres humanos, prometeu a quem tem sede. Eu desejo ardentemente, ó meu pai, essa água; eu a peço a Jesus, com gemidos e suspiros contínuos. Reze também o senhor, para que não se esconda de mim; diga a ele, ó pai, que ele sabe da grande necessidade que tenho dessa água, que somente ela pode curar uma alma ferida de amor.

Que esse terno esposo do sagrado cântico console uma alma que tem sede dele e a console com aquele beijo divino, o qual lhe pedia a sagrada esposa. Diga a ele que, até que uma alma chegue a receber esse beijo, não poderá jamais estabelecer um pacto com ele nestes termos: "Eu sou para o meu amado e meu amado é para mim".[3]

Que o Senhor não abandone quem colocou apenas nele toda a sua confiança! Pelo amor de Deus! Que esta minha esperança não seja nunca destruída, que eu seja sempre fiel a ele...

Na sua resoluta vontade de saber, ou melhor, de receber a resposta para as suas perguntas, não posso deixar de reconhecer a expressa vontade de Deus; com mãos trêmulas e o coração transbordando de dor, ignorando a verdadeira causa, disponho-me a obedecer-lhe.

Na sua primeira pergunta, o senhor quer saber desde quando Jesus começou a favorecer a sua pobre criatura com suas celestes visões.

Se não me engano, teriam começado não muito depois do noviciado.[4]

Sua segunda pergunta é se Jesus me concedeu o dom inefável de seus santos estigmas.

Quanto a isso, tenho de responder afirmativamente; na primeira vez que Jesus quis me dignar esse seu favor, os sinais foram visíveis, principalmente em uma mão; já que esta alma,

---
[3] Ct 6,3.
[4] Ano do noviciado: de janeiro de 1903 a janeiro de 1904.

diante de tal fenômeno, permaneceu muito estarrecida, pediu ao Senhor que retirasse o fenômeno visível. A partir de então, os sinais não mais apareceram; apesar de desaparecerem as feridas, não se extinguiu a dor agudíssima que sinto principalmente em algumas circunstâncias e em determinados dias.

Sua terceira e última pergunta é se o Senhor me fez provar, e quantas vezes, a sua coroação de espinhos e a sua flagelação.

A resposta também a essa questão é afirmativa; o número correto eu não saberia determinar; o que posso dizer é somente que esta alma há vários anos sofre disso e quase uma vez por semana.

Parece-me ter-lhe obedecido, não?

Dona Raffaelina e sua irmã ainda não regressaram. Reze com mais assiduidade para essas aflitíssimas almas, principalmente por Raffaelina, que, mais do que a outra, precisa da ajuda divina.

Em outra carta minha, reservo uma surpresa a respeito de Raffaelina. No entanto, reze para que tudo seja segundo o coração de Deus.

Com estima, beijo-lhe as mãos; digne-se sempre a abençoar este seu filho.

Frei Pio.

Carta 2

"[...] A INEFÁVEL DOÇURA QUE CHOVE DE VOSSOS OLHOS [...]"

Nesta longa carta, escrita na semana subsequente, aparece mais evidente a linguagem estereométrica de padre Pio. Como em Homero e, sobretudo, na Bíblia, também em muitíssimas cartas do nosso santo o nexo da frase não resulta da sucessão linear de conceitos bem determinados, mas da harmonização dos opostos colocados em paralelo. Assim, na resposta às cinco perguntas, padre Pio escreve: "eu – a minha alma / a minha alma – eu" (ver Sl 6,1-5). Por outro lado, é "o seu coração" que se alegra no Senhor ou se tortura por ele, entendendo-se, no entanto, que no coração está empenhada toda a pessoa do próprio padre Pio (ver também 1Sm 2,1) [292].

Pietrelcina, 17 de outubro de 1915.
I.M.I.D.F.C.

Meu caríssimo pai,

Que Jesus continue a manter o paterno olhar sobre o senhor; sustente-o sempre em graça e o ajude a combater o bom combate, fazendo do senhor participante do prêmio das almas fortes. Amém.

Como é grande, ó pai, a minha desventura! Quem poderá compreendê-la? Sei muito bem que sou um mistério para mim mesmo, não sei me entender.

O senhor me diz que a venerável irmã Teresa do Menino Jesus costumava afirmar: "Eu não quero escolher nem morrer, nem viver; mas que Jesus faça de mim o que quiser!". Infelizmente vejo muito bem ser esse o retrato de todas as almas despojadas de si e cheias de Deus. Mas como está longe a minha alma de tal despojamento! Eu não consigo frear os ímpetos do coração; eu me esforço, ó pai, para me adequar àquilo que dizia a venerável irmã Teresa, que deve ser o dito de toda alma inflamada do amor de Deus.

Em minha confusão, no entanto, devo confessar que não consigo, quando se trata de permanecer prisioneiro em um corpo de morte. É prova, eu digo, de não ser amor de Deus em mim, pois, se assim fosse, por ser o único espírito que vivifica, deveria ainda ter algum efeito.

Vale para entendermos: se quem opera em mim fosse o mesmo que operava em irmã Teresa, também em mim se confirmaria o dito daquela alma santa. Ou diga-me: não tenho razão para duvidar? Ai de mim! Quem me libertará desse cruel tormento de meu coração?

Eu aceito todos os tormentos desta Terra recolhidos em um feixe, ó meu Deus, desejo a minha porção, mas não poderei jamais permitir que eu seja separado de vós por falta de amor. Pelo amor de Deus! Por piedade, não permitais que esta minha pobre alma erre; não consintais jamais que esta minha esperança seja destruída. Fazei com que eu nunca me separe de vós, e, se estiver no presente sem vos conhecer, aproximai-me de vós neste instante; confortai este meu intelecto, ó meu Deus, de modo que eu conheça bem a mim mesmo e ao grande amor que tendes demonstrado, e que eu possa gozar eternamente as belezas soberanas de vossa face divina.

Que eu, ó caro Jesus, não perca nunca o tão precioso tesouro que vós sois para mim. Meu Senhor e meu Deus, a inefável doçura, que chove de vossos olhos, é muito vivificante na minha alma, e vós, meu bem, vos dignastes olhar com olhos de amor para este pobre coitadinho.

Como poderá ser aliviado o tormento de meu coração ao saber estar distante de vós? Minha alma sabe muito bem que terrível batalha foi a minha, quando vós, ó meu deleite, de mim vos escondestes! Como é viva, ó meu dulcíssimo amante, esta terrível e fulminante pintura impressa nesta alma!

Quem consegue separar ou apagar este fogo de chamas tão ardentes, que em meu peito arde por vós? Oh!, ó Senhor, não queirais gostar de esconder-vos; vós compreendeis quanta perturbação e agitação tomam conta não só de todos os poderes de minha alma, como também dos meus sentimentos! Vós vedes que a pobrezinha não suporta o cruel tormento desse abandono, pois é muito apaixonada por vós, beleza infinita.

Vós sabeis como ela ansiosamente vos busca. Essa ânsia não é efeito inferior ao que provava a vossa esposa dos sagrados cânticos; também ela, como a sagrada esposa, vagueia fora de si pelas ruas públicas e pelas praças e pede que as filhas de Jerusalém, conjurando-as, digam onde está o seu deleite: "Eu vos conjuro, mulheres de Jerusalém: se encontrardes meu amado, o que lhe direis? — 'Que eu desfaleço de amor!'".[1]

Quanto bem adquire a minha alma neste estado que é descrito nos salmos: "*Deficit spiritus meus*"!,[2] "*Deficit in salutare tuum anima mea*".[3]

---

[1] Ct 5,8.
[2] Sl 76,4; 83,4.
[3] Sl 118,81.

Somente vós vedes que essa é a pena para quem vos busca; ó meu Senhor, essa pena a levaria à paz pelo vosso amor, se soubesse que também neste estado ela não é abandonada por vós, ó fonte de eterna felicidade!...

Ah!, vós ainda compreendestes como é cruel o martírio para esta alma ver as grandes ofensas que nesses tristíssimos tempos ocorrem em razão dos filhos dos seres humanos, e a ingratidão horrenda com que retribuem os vossos sinais de amor, e a pouca e nenhuma importância que esses verdadeiros cegos dão quando vos perdem.

Meu Deus, meu Deus! Convém dizer que eles não mais confiam em vós, visto que tão grosseiramente vos negam o tributo de seu amor. Ai de mim! Meu Deus, quando chegará o momento em que esta alma verá restabelecido o vosso reino de amor?... Quando colocareis fim a este meu tormento?...

Ó almas santas, que, livres de toda aflição, já estão se deleitando no céu com a torrente de soberanas doçuras, oh!, como eu invejo a vossa felicidade! Oh!, por piedade, já que vós estais tão próximas da fonte de vida, já que vós me vedes morrer de sede neste baixo mundo, propiciai a mim um pouco dessa fresquíssima água.

Ah!, ó almas aventuradas, muito mal, confesso, muito mal gastei a minha porção, muito mal cuidei de uma pedra tão preciosa; mas, viva Deus!, sinto ser essa culpa ainda remédio.

No entanto, ó almas beatas, ajudai-me; também eu — já que não pude encontrar aquilo de que minha alma precisava, no repouso e na noite —, também eu surgirei, como a esposa do sagrado cântico, e buscarei aqueles a quem minha alma ama: "*Surgam et quaeram quem diligit anima mea*";[4] e sempre o buscarei, o buscarei em todas as coisas e não sossegarei em nenhuma, até que o reencontre na soleira de seu reino...

---

[4] Ct 3,2.

> "[...] A INEFÁVEL DOÇURA QUE CHOVE
> DE VOSSOS OLHOS [...]"

Ó Deus! Ó Deus! Onde está o meu pensamento? O que será dos vossos infelizes filhos, meus irmãos, que mereceriam já a vossa ira? Vós sabeis, ó meu doce redentor, quantas vezes a lembrança de vossa divina face, indignado com esses meus infelizes irmãos, fez-me gelar o sangue de espanto, mais do que o pensamento dos eternos suplícios e de todas as penas do inferno.

Eu sempre vos supliquei tremendo, como vos suplico agora: por vossa misericórdia, dignai-vos retirar tão fulmíneo olhar desses meus infelizes irmãos... Vós dissestes, ó meu doce Senhor, que "o amor é forte como a morte e é inflexível como o abismo";[5] por isso, olhai com olhos de inefável doçura esses irmãos mortos, prendei-os em vós com uma forte união de amor.

Que todos esses verdadeiros mortos ressurjam, ó Senhor. Ó Jesus, Lázaro não voz pediu que o ressuscitasses; valeram para ele as orações de uma mulher pecadora;[6] oh!, eis, ó meu divino Senhor, outra alma também pecadora e sem comparações, que vos pede por tantos mortos, que também cuidam de vos pedir que sejam ressuscitados.

Vós sabeis, ó meu Senhor e meu rei, o cruel martírio que me causam esses outros tantos Lázaros: chamai-os com um grito tão poderoso que dê a eles a vida e que, ao vosso comando, saiam da tumba dos seus sujos prazeres.

Fazei-o, ó Senhor, e assim todos iremos bendizer as riquezas da vossa misericórdia...

Meu pai, só agora percebo que escrevia e não apenas falava. Oh!, por caridade, queira perdoar e ter compaixão de quem está doente do coração; e ainda mais o senhor deve ter compaixão, pois a doença pela qual fui acometido é por si incurável.

O senhor me exortou a oferecer-me como vítima ao Senhor pelos pobres pecadores. Essa [oferta] fiz uma vez e vou

---

[5] Ct 8,6.
[6] Cf. Jo 11,21ss.

renovando-a ainda mais vezes ao dia. Mas como o Senhor não me concede isso? Pela saúde daqueles, ofereci também a minha vida, e o Senhor me faz continuar vivendo.

Portanto, não agradou ao Senhor o holocausto que eu lhe fiz e a toda hora faço de mim mesmo?

É pois, ó pai, de sumo prazer a sua proposta; por isso, unamo-nos na intenção e ajudemo-nos na vicissitude. Em todo mau tempo, o senhor me encontrará diante dele, das quatro e meia às nove e meia; todos os dias, em todos os tempos, das quinze para as onze até a ave-maria.

Esses são tempos comuns; de resto, depois, depende das circunstâncias. Em essência, compreendi, mas não muito bem, esse ato de recíproca caridade; por favor, faça com que eu entenda melhor.

E agora me disponho a dar uma resposta às suas perguntas.

A sua primeira pergunta é se esta alma desde o princípio tem confiado aos confessores aquilo que Jesus operava nela e fora dela.

Fique tranquilo, ó pai, também sobre essa questão, que a alma da qual falamos nunca se calou maliciosamente para os seus diretores, nem para os seus confessores, sobre o que estava sendo operado nela. Disse: com os seus diretores, mais do que com os seus confessores, pois desgraçadamente, em virtude de sua vida ambulante, não pôde se encontrar nunca, especialmente no mundo, com confessores iluminados nos caminhos sobrenaturais.

A respeito disso, explicar-lhe-ei melhor esse meu pensamento no primeiro encontro que tiver com o senhor.

A segunda pergunta é: "Quando começou o martírio das hesitações nessa alma, quanto tempo durou e onde ela se encontrava na época?".

Esse martírio foi muito doloroso para a pobrezinha, por sua intensidade e por sua duração. Isso começou, se não me engano, aos seus 18 anos e durou até os 21 completos. No entanto, nos primeiros dois anos, tornara-se quase insuportável.

Quando esta alma sofria por isso, encontrava-se em S. Elia[7] e, em seguida, também em San Marco[8] e em outros lugares.

A terceira pergunta é se esta alma continua a receber correspondências de almas desconhecidas, sem que ela saiba.

Há um tempo que não chegam a ela diretamente tais correspondências.

A quarta pergunta é se a esta alma Jesus manifestou a vontade de fazê-la retornar a seu lugar de descanso.

Sobre essa questão, Jesus nada lhe manifestou, mas a pobrezinha o espera e tem fé de não restar desiludida nessa sua esperança.

A respeito daquela alma da qual outrora o senhor me interrogou, nada mais revelou Jesus. Seja Jesus cada vez mais bendito, por toda a eternidade!

Fique tranquilo sobre o andamento do seu espírito; só lhe peço que vigie com maior perspicácia os movimentos do coração e, antes de tudo, humilhemo-nos cada vez mais diante da majestade do Senhor, de cuja presença buscamos nunca nos afastar. E vigiemos sempre, para que o demônio não se insinue em nós, mediante o maldito vício da vanglória.

Não sei se eu satisfiz às suas justas exigências; do contrário, ouso pedir-lhe: não me dê muita atenção.

Termino, ó pai, pois estou cansado, por causa de uma latente gripe que me aflige há dias. Que agrade a Jesus manter-nos unidos no espírito, e sempre, diante dele.

---

[7] Neste convento, depois do noviciado, padre Pio completou os estudos humanísticos, de janeiro de 1904 a outubro de 1905, e de abril de 1906 a outubro de 1907.
[8] Padre Pio completou neste convento um ano de filosofia, de outubro de 1905 a abril de 1906; depois, a partir de outubro de 1907, fez o curso teológico em Serracapriola e em Montefusco.

Recomendo-lhe a minha pobre alma e todas aquelas que estão em meu coração, e reze mais do que nunca pela pobre Raffaelina e por sua irmã.

Abençoe fortemente, em todos os momentos,

o seu pobre filho,
frei Pio, capuchinho.

Perdoe, pai, se lhe faço uma pergunta tão indiscreta: sou capaz de adquirir as indulgências plenárias, notificadas pelo nosso calendário?

Carta 3

"NUNCA CONFIEI EM MIM MESMO [...]"

Retorna um conceito fundamental da hermenêutica epistolar aplicável a padre Pio, a qual os estudiosos deverão posteriormente avaliar, que é o da unidade da alma com Deus por meio da "pura fé". Falando de si em relação ao Deus Criador, o nosso santo não exibe nenhum sinal do dualismo antropológico grego, nem a visão tricotômica da criatura humana pressuposta em certa interpretação do mundo bíblico. Aqui padre Pio assemelha-se a si mesmo quando a sua alma é unida à de seu Criador, conceito essencial para a interpretação antropológico-teológica dos estigmas [314].

[Pietrelcina, fim de janeiro de 1916.][1]
I.M.I.D.F.C.

Meu caríssimo pai,
Que Jesus esteja sempre com o senhor e lhe dê claro conhecimento do meu verdadeiro estado interno atual, do qual venho lhe falar. Amém.

---

[1] A carta, sem endereço nem data, está em um envelope da carta de 27 de fevereiro. Mas trata-se evidentemente da resposta à carta de padre Agostino, de 20 de janeiro, à qual este se refere em sua carta de 29 do mesmo mês.

Aproveito os brevíssimos instantes, nos quais me é permitido entrar em mim mesmo, tomar consciência do meu estado desolador e transcrever nesta carta aquilo que consigo.

A minha alma, há tempos está imersa, dia e noite, na alta noite do espírito. As trevas espirituais duram longuíssimas horas, longuíssimos dias e frequentemente semanas inteiras.

Já que estou nessa noite, eu não saberia dizer se me encontro no inferno ou no purgatório. Os intervalos nos quais desce um pouco de luz em meu espírito são muito fugazes; quando tento me dar conta do meu ser, sinto-me em um instante cair nesse cárcere tenebroso, instantaneamente perco a memória de todos os favores que o Senhor concedeu tão largamente à minha alma.

Adeus às delícias com que o Senhor a inebriava! Onde está o prazer que ela gozava com a divina presença? Tudo, tudo desapareceu de seu intelecto, de sua alma. E um contínuo deserto de trevas, de abatimento, de insensibilidade, é a terra natal da morte, a noite do abandono, a caverna da desolação; aqui está a pobre alma, distante de seu Deus e sozinha consigo mesma.

Contínuo é o suspirar da alma sob o peso dessa noite que a envolve completamente, penetra-a por inteiro; mas ela se vê incapaz de pensar não só nas coisas sobrenaturais, mas também nas coisas mais simples. E quando a alma está a ponto de alcançar um só raio da divindade, rapidamente todo tipo de luz desaparece de seu olhar.

Sente vontade de sair de si e esforça-se em amar, mas em um instante, meu pai, fica dura e parada como uma pedra. Pensa em se ater à lembrança de algo que possa consolá-la, mas tudo, tudo é inútil.

Não é um estado pavoroso?

Entretanto, não é tudo, meu pai. O que aumenta ainda mais o meu tormento é lembrar vagamente algumas vezes de ter, em outros tempos, conhecido e amado aquele mesmo Senhor, que agora me parece não mais conhecer, nem amar, como àquele que é para mim um desconhecido, um ausente, um estrangeiro.

Vou, então, esforçando-me em encontrar, ao menos nas criaturas, os traços daquele que a minha alma deseja; mas quem pode dizê-lo? Eu não mais reconheço a imagem habitual daquele que me abandonou. É justamente aqui que a alma, vencida pelo medo e pelo terror, não sabendo mais o que fazer para encontrar o seu Deus, vai exclamando, queixando-se com o seu Senhor: "Meu Deus, meu Deus, por que me abandonaste?".[2]

Que medo horrível! Ninguém, nem mesmo o eco, responde no vazio que ela sente dentro de si. Mas nem mesmo aqui a alma se dá por vencida. Ela tenta mais uma vez novos esforços; mas sempre em vão. Sente, então, lhe vir cada vez menos o entusiasmo; sente cessar toda sua força; vê todos os sentimentos de piedade adormecerem totalmente.

Afastada de seu esposo, dilacerada até nas partes mais recônditas, ela não sabe mais o que fazer nessa noite altíssima. E o que aumenta o meu suplício é que esses males intoleráveis parecem querer durar eternamente. A pobre alma não vê fim para essa horrível miséria. Um muro de bronze parece fechar-me para sempre nesse horrendo cárcere.

São tantas e tão agudas as penas que sinto, que não saberia diferenciá-las daquilo que poderia sofrer se estivesse no inferno; ao contrário — e me seja permitido dizer aqui —, nesse estado deve-se sofrer ainda mais por causa do amor com que se amou o Criador. Mas prossigamos.

Já que se está no ápice desse martírio, parece-me que a alma está a ponto de buscar consolo ao pensar que, no fim, ela deve necessariamente sucumbir sob o peso de tais dores, pois é de fato impossível suportá-las mais tempo.

---

[2] Sl 21,2. Cf. Mt 27,46; Mc 15,34.

Mas viva Deus!, porque o pensamento da imortalidade, que resiste ao próprio inferno, apresenta-se rapidamente diante desta alma perdida, que está por perder-se; ela sente então que ainda dá forma a um corpo vivente e está para invocar a ajuda de alguém; pouco depois sente-se sufocar por seu grito... e aqui a minha língua torna-se muda e não digo o que está se operando em mim.

São, de fato, coisas novas, e não há linguagem que possa retratá-las. E só digo que se está aqui no ápice das dores e não sei se agrado ou não ao Senhor. Quanto a mim, procuro amá-lo e o quero; mas, nessa noite de obscuras trevas, o meu espírito cego vai errando no destino, o meu coração é dissecado, as forças são abatidas, os sentidos, extenuados.

Vou me debatendo; suspiro, choro, lamento-me, mas tudo é em vão; até que, abatida pela dor e sem forças, a pobre alma se submete ao Senhor, dizendo: *"Non mea, o dulcissime Iesu, sed tua voluntas fiat"*.[3]

Aqui está, ó meu caríssimo pai, colocado a nu o meu interior. Gostaria de buscar socorro no senhor, mas sei muito bem que ninguém pode dar-me alívio para essas angústias tão profundas, que eu mesmo não consigo expressar, e ninguém é capaz de compreender, a menos que as tenha provado.

Recebi a sua carta e não sei esconder do senhor a surpresa, ou melhor, a minha aflição diante de certas perguntas que me foram feitas. Sinceramente, digo que muito chorei. Seja feita a divina vontade, que assim quer me provar. Também o pobre Jó, permitindo-lhe Deus, recebeu amarguras, e não consolações de seus amigos.

Compreendo que o caso não vai *ad rem*, mas só Deus sabe o que se passa em mim. Aquilo que escrevi em Foggia àquela alma

---

[3] Cf. Lc 22,42.

é verdade, mas enunciar aqui os nomes não me é permitido; se nos reencontrarmos, irei dizer tudo.

Nunca confiei em mim mesmo e posso dizer, diante da minha consciência, que nunca dei um passo sem o conselho de alguém. E sobre certos passos especialmente já dados, de novo os retomei, pedindo sempre novas luzes às várias pessoas que encontrei.

Estou desgostoso por ter de reenviar ao senhor a bondosa caridade que me enviou, porque será muito difícil eu poder celebrar por um mês inteiro sem interrupção, em virtude do meu atual estado físico.

Que o bom Jesus recompense o senhor e o oferente principal, seja quem for, por tão oportuna caridade.

Abençoe-me fortemente a todo momento; que Jesus esteja sempre conosco.

CARTA 4

"MEU PAI, COMO É DIFÍCIL O CRER!"

Inicia-se com esta carta, escrita em Foggia, em 1916, o segundo período com que é subdividido o *Epistolário* de padre Pio. Imbuído de ricas e corretas intuições para uma teologia do ato de fé, o nosso santo está consciente de que no ato de crer pode haver talvez temores, sombras, algumas incertezas sobre o conteúdo revelado, mas absolutamente não podem existir dúvidas de fé. Desse modo, pode-se provavelmente compreender o enigmático sinal no despertar das paixões "com exceção de apenas uma", justamente a da dúvida sobre a fé [326].

Foggia, 8 de março de 1916.
J.M.J.D.F.C.

Meu caríssimo pai,
Que Jesus esteja sempre com o senhor e com todas as almas que o amam com pureza de coração. Amém.
Gostaria, ó pai, de, ao menos uma vez, com os meus escritos, levar ao senhor sorrisos, alegrias. Mas isso não está em meu poder, e muito menos no presente período. A paz foi totalmente banida de meu coração: tornei-me completamente cego. Eu

estou envolto em uma noite muito profunda e não encontro a luz, nunca, por mais que me debata.

Como, então, eu posso caminhar bem diante do Senhor? Ah, não! Ele não poderá de fato estar contente comigo. Ele justamente me jogou entre os mortos eternos, dos quais não mais se lembra. Foi a minha malícia que jogou tanta desventura sobre minhas costas. Mas diga-me francamente: posso esperar um dia melhor, no qual o Senhor, no excesso de sua bondade, será indulgente comigo?

Mantenho sempre os olhos fixos no oriente, na noite que ele envolve, para distinguir a estrela milagrosa que guiou os nossos pais à gruta de Belém. Mas em vão aguço os meus olhos para ver surgir esse astro luminoso. Quanto mais olho, menos vejo; quanto mais me esforço, quanto mais ardentemente a busco, mais me vejo envolvido em maiores trevas. Estou sozinho de dia, estou sozinho à noite, e nenhum raio de luz vem me iluminar: nunca uma gota de refrigério vem vivificar a chama que continuamente me devora sem jamais me consumir.

Uma só vez senti, na mais secreta e íntima parte do meu espírito, algo tão delicado, que não sei como explicar. A alma sentiu em primeiro lugar, sem poder ver, a presença dele; em seguida, por assim dizer, ele se aproximou tanto da alma, que ela percebeu plenamente o seu toque, para se ter uma ideia, como só ocorre quando o nosso corpo toca outro estreitamente.

Não sei dizer nada a respeito disso, só lhe confesso que, a princípio, fui tomado por um grande medo; pouco depois, esse medo foi transformado em uma celestial embriaguez. Pareceu-me que não estivesse mais no estado passageiro; não saberia dizer ao senhor se, quando isso aconteceu, percebi ou não se ainda estava neste corpo. Só Deus sabe; eu não saberia dizer ao senhor nada que melhor explicasse esse acontecimento.

No entanto — Deus! —, quem poderia imaginar o que estava por me acontecer dali a pouco! O inferno desabou sobre mim. Essa palavra abrange tudo. Fui jogado em um cárcere mais obscuro que o primeiro, onde agora me encontro e onde nada reina além do perpétuo horror.

Aqui todos os meus pecados são colocados a nu, e a alma não vê nada além da sua malícia, elevada ao mais alto grau; ao mesmo tempo, vê claramente tudo de maneira absoluta disforme da união com Deus, à qual ela ainda aspira.

A alma não duvida da misericórdia do Senhor, que pode um dia uni-la a si, mas a situação é totalmente subjetiva: ela encontra em si mesma a impossibilidade dessa união. Ela reconhece, em si mesma, qualidades de fato contraditórias à união.

Imagine, portanto, se para esta alma pode haver um pouco de consolação. Vê-se totalmente rejeitada pela face do Senhor e acha tudo justo. Vê, claramente, ser irreparável a sua perdição; não sabe aquietar-se com tão grande perda, gostaria de amar esse Deus pelo qual é rejeitada: esforça-se em amá-lo e o seu único pensamento, que sem um instante de trégua a martiriza, é o de amar a esse Deus que tanto a ofendeu.

Quer amá-lo apesar de tudo, mesmo vendo que a sua perdição é irreparável.

A tudo isso, acrescenta-se o despertar de todas as paixões, apenas com exceção de uma. Tentações a respeito da fé, que querem levar-me à negação de tudo. Meu pai, como é difícil crer! Que o Senhor me ajude a não levantar sombra de suspeita sobre aquilo que quis revelar-nos. Peço a morte para o alívio das minhas aflições. Que o Senhor a permita logo, pois não aguento mais.

Gostaria, pai, de dizer mais e de me abrir com quem está, sem dúvida, acostumado a compartilhar a minha dor, mas não aguento mais; a minha mão treme, não consigo segurar a caneta e sinto a garganta contrair-se com os soluços.

Espero uma longa carta sua, na qual me sentirei condenado inexoravelmente. O embate que se dará em mim será certamente horrível, mas ao menos terei a satisfação — se realmente isso for possível — de ter razão *in extremis*, ao menos uma vez. Aposto que, desta vez, o senhor se convencerá da realidade dos fatos e mudará, finalmente, sua sentença.

Será complacente em apresentar os meus profundos cumprimentos ao caríssimo padre leitor; considerem bem o meu caso, e ao menos um me dê razão.

Com grande estima, beijo-lhe a mão, pedindo-lhe humildemente que queira abençoar quem sempre se oferece,

o seu pobre filho,
frei Pio.

Não se inquiete com o seu filho, se ouso ainda uma vez reabrir a carta. Dou-lhe ampla faculdade de falar-me um pouco da última confissão que lhe fiz. Portanto, com o que eu disse na outra carta e com o que expus nesta, além daquilo que lhe disse em outras inúmeras circunstâncias, o senhor pode mais exatamente dar o seu juízo sobre o meu estado. Na minha última confissão, eu lhe disse que, muitas vezes, a escuridão pela qual sou tomado é tanta que me faz duvidar, ou melhor, me vejo impossibilitado de discernir o que é bom daquilo que não é.

Como me regular no agir para não ofender o Senhor? É verdade que o senhor me deu uma regra sobre esse ponto, mas o que quer? Eu não me lembro dela com precisão. Seja indulgente comigo e use da caridade de colocá-la por escrito.

Carta 5

"QUANDO O SOL VAI NASCER EM MIM?"

O objetivo principal e imediato do retorno de padre Pio ao convento, depois do período em família, em Pietrelcina, foi a assistência espiritual a uma mulher, Raffaelina Cesare, morta em 25 de março de 1916. É essa a pessoa à qual se refere padre Pio no fim desta carta de Foggia, escrita uma semana antes da morte da assistida. Deus, no entanto, serviu-se do pretexto para tornar público e alargar o campo da atividade sacerdotal do jovem sacerdote capuchinho [331].

Foggia, 17 de março de 1916.
I.M.I.D.F.C.

Meu caríssimo pai,
Que Jesus esteja sempre com o senhor e com todas as almas que o amam com pureza e sinceridade de coração. Amém.
Recebi a sua última carta concomitante com a do padre provincial e por tudo rendo graças ao nosso Deus por sua tão preciosa caridade; vivíssimos agradecimentos e eterno reconhecimento ao senhor.

O senhor pode supor como ficou o meu espírito diante das suas afirmações e assegurações — não que seja esse o meu atual estado espiritual —, pelas poucas coisas escritas ao padre provincial. Mas viva Jesus!, que também, ao perseguir-me, não permite que a alma seja oprimida pelo desespero; nisso creio com a agudeza do espírito somente, embora sem nenhum conforto, sem que o veja, pelas assegurações e afirmações que foram feitas pelo senhor.

Em suma, a minha crença é todo esforço da minha pobre vontade contra toda a minha persuasão humana. Talvez seja justamente por isso que não poderá jamais receber nenhuma refeição, nem na parte sensível, nem na parte superior. Enfim, a minha crença é o esforço das contínuas tentativas que imponho a mim mesmo. E não é ocupação, meu pai, de várias vezes ao dia, mas é contínua; se fizer de outro modo, não poderei ser menos[1] infiel ao meu Deus.

A noite vai se fazendo sempre mais escura, e não sei o que me reserva ainda o Senhor.

Quanta coisa gostaria de lhe dizer, ó pai, mas não posso: reconheço ser um mistério para mim mesmo.

Quando chegará o momento em que se dissiparão as trevas de minha alma? Quando o sol vai nascer em mim? Devo esperar ainda neste mundo? Creio que isso jamais possa acontecer.

Já basta; percebo que o meu falar poderia parecer-lhe incredulidade; por isso, o temor de incomodá-lo me faz preferir o silêncio. O senhor, no entanto, recomende-me incessantemente ao Senhor e suplique-lhe para que o meu crer nele não seja tão difícil.

O que renderei às almas que por mim rezam e por mim se oferecem como vítimas expiatórias? Rezo continuamente por

---

[1] Na autografia: no mínimo.

elas, mas em que pode ser útil a oração de quem é sempre rejeitado por Deus? *Fiat voluntas Dei*! Confio e não me desespero.

Assegure aquela alma privilegiada da dileção de Jesus por ela. Que viva em paz e esteja preparada para novas batalhas que o divino Pai vai lhe explicar mais à frente pela pura dileção que tem por ela.

Para sua irmã, diga-lhe que ela está na infância espiritual, que Jesus tem grandes planos para ela e que se mantenha pronta para entrar em outro estado de vida.

Quanto ao senhor, pois, esforce-se para bem regular as ânsias de seu coração: confiança e calma na grande obra da santificação própria e alheia. A Jesus, o resto.

Raffaelina, há muitos dias, está na cruz do escolhido; sofre com invencível resignação. Fico aflito ao vê-la em tal estado. Talvez eu deva permitir-lhe que cante o *Nunc dimittis*; sinto-me fraco e será conveniente que eu ceda.

Quando Deus quiser, nos entenderemos melhor sobre este ponto, que certamente deve soar mal aos ouvidos de quem lhe é estranho...

Abençoe-me sempre, enquanto eu o abraço cordialmente.

Frei Pio.

Carta 6

"ENCONTRAREI SEMPRE A COMPANHIA DE TODAS AS ALMAS [...]"

A confirmação do sucesso da atividade pastoral de padre Pio alinha-se com esta "estival" carta. No dia seguinte à sua chegada a Foggia, ele está ao centro de um movimento de intensa espiritualidade e é requerido como diretor. Talvez nem todos se dessem conta da responsabilidade do mestre e da amplitude daquele movimento. Mas a transferência para o novo convento de San Giovanni Rotondo parece estar iminente... [350].

Foggia, 23 de agosto de 1916.
I.M.I.D.F.C.

Meu caríssimo pai,
Que Jesus o assista sempre e lhe dê a abundante força que o faça sempre cumprir exatamente o seu sacro ministério.
Gostaria que, neste ano, o dia do seu onomástico passasse despercebido. Mas não consegui. No entanto, de que maneira poderei cumprimentá-lo, enquanto o senhor está nas terras do terror? Eu o cumprimento apenas da maneira que sei e posso,

e o senhor, tão bom, não deixará de aceitar, sabendo que é da parte de um coração que ardentemente o ama com amor todo santo diante do divino Esposo.

O meu sincero cumprimento que lhe apresento por um dia tão estranho é que o bom Deus lhe conceda as mais eleitas graças, com uma perfeitíssima correspondência de sua parte ao querer dele.

Aceite, meu caríssimo pai, estes meus ardentíssimos votos para o senhor neste ano de extremo desconforto e de superlativa desolação. O senhor já pode compreender que passo este dia diante de Jesus, e esteja seguro de que não serei o único que lutará diante dele.

Encontrarei sempre a companhia de todas as almas amantes de Jesus, principalmente aquelas que a nós estão unidas em um mesmo espírito. Sim, pai, nós todos rezamos sempre pelo senhor! Que agrade ao nosso Pai celeste tornar-nos todos dignos da glória eterna; assim, elevaremos por toda a eternidade o hino de louvor e de bênção.

Se não faço as minhas notícias chegarem mais frequentemente, ó pai, não me culpe; saiba que isso não provém da má vontade. O senhor sabe de tudo. Além disso, deve saber que não me resta um só momento livre: um turbilhão de almas sedentas de Jesus precipita-se sobre mim, a ponto de me fazer levar as mãos à cabeça.

Diante de tão abundante reunião, por um lado me sinto alegre no Senhor, pois vejo que as filas das almas eleitas vão sempre aumentando, e Jesus é cada vez mais amado; por outro lado, me sinto prostrado por tanto peso e quase humilhado, por razões mais fáceis de compreender.

Para ter um pouco de alívio e distração, pedi que o padre provincial me mandasse por algum tempo a San Giovanni. Não lhe expus verdadeiramente todas as razões que me levaram a pedir-lhe tal permissão. Expus-lhe apenas algumas e com muita timidez. Ele me respondeu logo, assentindo plenamente ao que eu lhe havia pedido. No entanto, disse-me para esperar um pouco, até que se soubesse do prognóstico sobre o padre guardião,[1] que atualmente está em observação em um dos hospitais militares de Roma.

Se ele for dispensado, disse-me o provincial, logo que tiver retornado, poderei ir para San Giovanni. Se ele não voltar, acrescentou, devo esperar que outro venha em seu lugar.

Diga-me, pai, fiz mal em pedir essa permissão pelas razões que apenas em parte mencionei anteriormente? Se fiz mal, estou disposto a fazer qualquer sacrifício para não descumprir as vontades divinas.

Gostaria de dizer-lhe tantas coisas, mas que isso seja feito em tempos melhores. Não tenho mais força para continuar. Que Jesus lhe pague pelo bem que me fez; em Jesus o abraço, filial e cordialmente.

Frei Pio, capuchinho.

Frei Paolo e frei Camillo[2] estão cada vez melhor. Receba da parte deles os mais respeitosos cumprimentos.

---

[1] Padre Nazareno d'Arpaise.
[2] Frei Camillo de San Giovanni Rotondo, nascido em 7 de maio de 1892. Combatente da Primeira Guerra Mundial, foi ordenado sacerdote em 8 de setembro de 1922. Morreu em 3 de novembro de 1957.

Carta 7

"A OBEDIÊNCIA É TUDO PARA MIM [...]"

Com um pudor franciscano quase inacreditável, o jovem capuchinho Pio manifesta neste escrito quase o temor de ser "a cruz" de seu diretor espiritual. O nosso Pio está em conflito consigo mesmo ao querer obedecer a padre Agostino, já que a obediência não lhe proporciona nenhum conforto; contudo, está consciente de que esse é o único meio para esperar a salvação e "cantar vitória" [351].

Foggia, 26 de agosto de 1916.
J.M.J.D.F.C.

Meu caríssimo pai,
Que a graça de Jesus esteja sempre no seu coração e lhe dê forças para suportar as provas às quais ele o submete.
Poucas palavras desta vez, não porque eu não sentisse necessidade, mas porque não consigo de fato coordenar as ideias. Sinto-me mal física e moralmente. Nenhum conforto vem mais ao meu coração, e a tempestade aumenta de intensidade.
Trabalho somente para obedecer-lhe, tendo-me feito conhecer o bom Deus é essa a única coisa por ele aceita e que é, para mim,

o único meio de esperar saúde e cantar vitória. Mas, meu pai, que contraste sinto também nisso! Não sinto, é verdade, vontade de rebelar-me contra quem me dirige, mas experimento, no entanto, certa preocupação que me faz sentir-me mal.

Em suma: a obediência é tudo para mim, e nenhum conforto provo ao submeter-me a isso. Deus me livre se tivesse que, em sã consciência, minimamente confrontar quem me foi assinalado como juiz externo e interno, e como seria, se sou cheio de medos sobre esse ponto? Diga-me, por caridade, como deverei comportar-me?

Quando então o Senhor retirará completamente a cruz à qual submeteu o senhor? Peço sempre com essa finalidade. Renovo continuamente a oferta a Jesus feita pelo senhor. O que mais devo fazer? Oferte-me a Jesus, para que possa fazer o senhor feliz.

O senhor não deve, no entanto, deixar de fazê-lo pensando em minha fraqueza. Jesus me ajudará! Além do sacrifício presente, e que sempre renovo, estou pronto, prontíssimo para fazer outros cem e os mais dolorosos.

O padre Isaia[1] já está aqui; espero que o senhor me dê a renovação da obediência, para eu poder me dirigir a San Giovanni.

---

[1] Padre Isaia de Sarno, da classe de 1889, prestou serviço militar na guerra, de 1915 a 1918, como agente de saúde; foi dispensado em 1918. Ao ir em licença provisória para o convento de Foggia e nele continuar, dava a padre Pio a possibilidade de poder subir para San Giovanni Rotondo.

A alma de Morra Irpino[2] já me escreveu, pedindo direção. Diz-me que, antes de partir de San Marco, pediu-lhe a permissão para poder me escrever. O senhor, no entanto, o que me diz a esse respeito?
Quanto ao padre Agostino, ele já me deu a permissão. Espero uma resposta sobre tudo.
Beijo-lhe a mão; reze por mim e abençoe-me sempre.

Seu obedientíssimo filho,
frei Pio, capuchinho.

---

[2] Morra Irpino, agora Morra De Santis (Avellino), é uma cidadezinha de 2.739 habitantes, situada a 64 quilômetros da capital. Está a 820 metros acima do nível do mar. A alma que pede a padre Pio a direção espiritual por correspondência é a senhorita Maria Gargani, então professora em San Marco la Catola. Ingressou na Terceira Ordem Franciscana e teve sempre o desejo de consagrar-se a Deus na vida religiosa; mas padre Pio não esteve de acordo; mais tarde (a partir de fevereiro de 1936), ela fundou o Instituto Irmãs Apostólicas do Sagrado Coração, cuja casa generalícia se localiza em Nápoles, onde viveu como madre.
Faleceu em 23 de maio de 1973. (N.E.)

CARTA 8

"[...] VÓS VOS DEIXAREIS SER VISTO UM DIA SOBRE TABOR, SOBRE O SANTO PÔR DO SOL?"

A primeira parte é uma sentida oração dirigida à Trindade, com um fundo claramente bíblico. Padre Pio, tendo certamente presente o encontro entre Deus e Moisés sobre o Sinai (Ex 3), dirige-se, sobretudo, ao Pai onipotente, oferecendo-se como filho no Filho unigênito de Deus, entre o fogo dos espinhos, imagem do próprio Espírito da divindade. O santo deseja ardentemente a passagem da visão mística, embora de "pantanosas trevas", para a visão física e real. A menção ao pôr do sol é singular, pois sabe-se que também no interior do mundo as auroras são sempre sucedidas pelos pores do sol [368].

San Giovanni Rotondo, 8 de novembro de 1916.
J.M.J.D.F.C.

Meu caríssimo pai,
Que Jesus o assista sempre e lhe dê luz para compreender o meu presente estado.

Que Jesus me prove sempre com o fogo das tribulações, *Fiat*! Agora talvez estejamos na prova que me fora anunciada em Foggia.[1] Há dias, meu bom pai, senti forte em mim a necessidade de dirigir-me ao senhor para receber alguma palavra de conforto em meio a altas tempestades, entre as quais está a minha pobre alma, desde que o senhor se distanciou daqui. Mas até este momento não me foi possível fazê-lo, tão grande é a tempestade que estrondeia dentro e fora de mim.

Meu Deus, o que foi a minha vida nesses dias perante vós, nos quais as mais pantanosas trevas investiram contra mim! E o que será ainda do meu futuro? Eu ignoro tudo, completamente tudo. No entanto, não deixarei de elevar as minhas mãos no santo lugar durante a noite, e vos bendirei sempre, até que eu tenha um sopro de vida.

Suplico-vos, ó meu bom Deus, para que sejais a minha vida, a minha barca e o meu porto. Vós me fizestes subir sobre a cruz do vosso Filho, e eu me esforço para me adaptar da melhor maneira: estou convencido de que jamais descerei dela e que jamais deverei ver o ar sereno.

Estou persuadido de que é preciso falar a vós entre trovões e redemoinhos de vento, convém ver-vos no silvado, entre o fogo dos espinhos; mas, para executar tudo isso, acho necessário ficar descalço e renunciar inteiramente à própria vontade e à própria afeição.

A tudo isso estou disposto, mas vós vos deixareis ser visto um dia sob o Tabor, sobre o santo pôr do sol? Terei força, sem jamais me cansar, para ascender à celeste visão do meu Salvador?

Sinto que o terreno que piso cede sob os meus pés. Quem reforçará os meus passos? Quem, senão vós, que sois o bastão

---

[1] Em 13 de agosto, em Foggia, escrevia a padre Benedetto: "Ele (Jesus) me disse que é preciso elevar um pouco o físico para me deixar pronto para outras provas, às quais ele quer me sujeitar".

> "[...] VÓS VOS DEIXAREIS SER VISTO UM DIA SOBRE TABOR, SOBRE O SANTO PÔR DO SOL?"

de minha fraqueza? *Miserere* de mim, ó Deus, *miserere* de mim! Não mais me façais experimentar a minha fraqueza!

Que a vossa fé ilumine mais uma vez o meu intelecto; que a vossa caridade aqueça meu coração compungido pela dor de ofender-vos na hora da provação!

Meu [Deus], como é agudo este atroz pensamento que de mim não se retira nunca! Meu Deus, meu Deus, não me façais apaixonar-me mais por vós! Eu não mais me governo!

Meu pai, perdoe-me! Eu não sei mais reordenar as minhas ideias. Se não fosse interrompido neste ponto, quem sabe aonde teria ido parar. Teria colocado, sem perceber, à dura prova a sua paciência.

Tenha a bondade de escutar qual é o meu estado, que lhe prometo fazê-lo brevemente. A batalha foi retomada com maior fúria. O meu espírito há tempos está imerso nas mais pantanosas trevas. Reconheço encontrar-me na grande insuficiência de praticar o bem; encontro-me em um extremo abandono: muita perturbação no estômago espiritual, muita amargura experimento na boca interior, o que me torna amargo o vinho mais doce deste mundo.

Pensamentos blasfemos atravessam continuamente a minha mente; e mais ainda sugestões, infidelidades e descrenças. Sinto a alma ferida, morro em todos os instantes da vida. A minha alma não mais repousa tranquila, já que Deus não pode permitir tudo aquilo que me acontece, sem que não esteja extremamente desgostoso comigo. Ele não pode se encontrar nesta alma: ele é muito puro e estaria grandemente desvalorizado ao permanecer nesta alma, na qual acontecem coisas assim.

O demônio estrondeia e ruge assiduamente em torno da minha pobre vontade. Não faço outra coisa neste estado, a não ser dizer com firme resolução, embora sem sentimento: "Viva Jesus! Eu creio...". Mas quem pode dizer-lhe como pronuncio essas santas expressões? Pronuncio-as com timidez, sem força nem coragem, e grande violência pratico contra mim mesmo.

Diga-me, pai, é possível, é compatível este estado com a presença de Deus nesta alma? Não é talvez esse o efeito da retirada de Deus desta alma? Meu pai, peço-lhe, fale-me mais uma vez com toda a franqueza e sinceridade. Sugira-me a maneira como devo comportar-me para não ofender o Senhor e se há esperança para mim de que Deus voltará para esta alma.

As mais pantanosas trevas reinam sobre tudo o que faço. Uma dúvida perene atravessa o meu espírito em todas as minhas ações. Um sentimento me sugere sempre que opere em tudo com consciência duvidosa. Esforço-me para lembrar-me daquilo que a autoridade me ordenou a esse respeito, mas o que o senhor quer?! O Senhor me confunde, não lembro nada precisamente. Que martírio é também isso para mim! O não saber se se opera com a glória de Deus ou mesmo com a sua ofensa é mais doloroso que a própria morte.

Por caridade, meu pai, não se inquiete por mim. Estou pronto para tudo, para sacrificar tudo, para não ofender a Deus. Compraza-se assim em sugerir-me algo também a esse propósito. Diga-me como devo responder a esses tão penosos pensamentos, que eu ignoro por quem são sugeridos.

Quanta coisa gostaria de dizer-lhe, mas não consigo me dominar: imerso, como estou, neste tão penoso estado, não consigo reordenar as minhas ideias. O meu coração quer amar; esforça-se para conseguir, mas não encontra como. O pobrezinho encontra-se talvez fora de seu centro, e eis por que não sabe onde pode repousar.

Meu pai, quanto mais tempo demorará ainda para passar tal estado? Oh! Se eu pudesse ao menos saber que tudo isso não é ofensa a Deus! Se isso eu pudesse saber, sinto-me disposto a

> "[...] VÓS VOS DEIXAREIS SER VISTO UM DIA SOBRE TABOR, SOBRE O SANTO PÔR DO SOL?"

suportar penas maiores por toda a vida, por mais longa que pudesse ser.

Abençoe-me sempre e reze a Jesus para que, se neste estado não estiver a sua glória, me liberte o mais rápido possível.

Apesar de todos esses tormentos, que eu sinto no mais íntimo do meu espírito, sempre tenho força para rezar pelo senhor e renovar a Deus continuamente a oferta uma vez feita a ele a seu respeito.

Com grande estima e profundo respeito e veneração, beijo-lhe a mão, dizendo sempre!

O seu pobre filho,
frei Pio, capuchinho.

Quando responder à presente, peço-lhe que me envie um atestado seu, para eu mostrar, quando me apresentar em Nápoles, para poder celebrar.

Carta 9

"É VERDADE QUE TUDO É CONSAGRADO A JESUS [...]"

Aumentam as dores físicas, e os estigmas verdadeiros e próprios estão próximos. O pobre padre Pio chora "sem querer, como um menino". Está sozinho. Parece não falar com ninguém sobre o que lhe acontece, nem mesmo com os companheiros que vivem junto dele sob o mesmo teto, em San Giovanni Rotondo. A única comunicação são as folhas da carta escritas no silêncio de sua "cela" (quarto) e endereçadas ao próprio diretor espiritual [388].

San Giovanni Rotondo, 6 de março de 1917.
J.M.J.D.F.C.

Meu caríssimo pai,

Que Jesus continue a possuir completamente o seu coração até a transformação nele na glória das celestes terras!

A sua última carta,[1] breve, mas cheia de assegurações e de santos e amáveis conselhos, tocou vivamente o meu coração e me fez prometer mais uma vez ao caro Jesus começar a amá-lo

---

[1] Carta não encontrada.

de verdade, sem agitações, e mais uma vez consagrar a minha vida inteira a seu santo serviço.

Sinto vivíssimo o desejo — sem que, muitas vezes, eu nem mesmo pense em procurá-lo — de transcorrer todos os instantes da vida no amar o Senhor; quero me manter junto dele segurando uma de suas mãos e percorrer com alegria o caminho doloroso, no qual me colocou; mas digo, com a morte no coração, confusão no espírito e rubor na face, que os meus desejos não correspondem exatamente à realidade.

Basta alguma insignificância para me agitar, basta esquecer-me de suas assegurações para fazer com que eu me atire nos braços da mais alta noite do espírito, que me faz sofrer dia e noite. Meu Deus! Meu pai! Que grande castigo atirou sobre mim a minha infidelidade passada.

Gostaria que a minha mente não pensasse em nada além de Jesus, que o coração não palpitasse senão por ele somente e sempre, e tudo isso prometo assiduamente a Jesus; mas, ai de mim!, sei muito bem que a mente se perde, ou melhor, está em prova duríssima, à qual está sujeito o espírito, e o coração então não faz outra coisa a não ser consumir-se nessa dor.

É verdade que tudo é consagrado a Jesus e tudo pretendo sofrer por ele. Mas não consigo capacitar-me para isso. De fato, sou privado de luz, e isso basta para me encher de medo e de terror e fazer-me crer estar sob os rigores da divina justiça. Cada vez mais, vou me confirmando nessa verdade, segundo o meu parecer, ao ver que Deus vai cada vez mais se engrandecendo aos olhos do espírito, ao vê-lo cada vez mais distante e ao ver ainda que esse Deus vai cada vez mais sendo envolto por densas névoas.

O meu espírito está sempre fixo nesse objeto, que não sai nunca da minha mente; quanto mais fixo o olhar, mais percebo que vai escondendo-se nessa névoa, que é como vapores aquosos que se elevam de um solo banhado ao nascer do sol.

O Pai Celeste não deixa ainda de fazer-me participar das dores de seu Filho unigênito, também fisicamente. Essas dores são tão agudas, a ponto de não se poder, de fato, nem descrever, nem imaginar. Não sei, pois, se é falta de força ou se é culpa, quando, posto nesse estado, choro, sem querer, como um menino.

Uma prova muito dura para mim é não saber se nesses meus atos está a compaixão de Deus, ou a sua ofensa. Muitas assegurações me foram dadas a esse respeito, mas o que o senhor quer!? Não temos olhos para ver. Além disso, o inimigo quer colocar sempre o bico para estragar tudo. Vai insinuando que tais assegurações não abrangem todas as minhas ações e muito menos para sempre.

Ó pai, fale mais a respeito disso. Venha acalmar o meu pobre espírito, arremessado para todo lado. Pense que sou um pobre cego e tenho absoluta necessidade de sua orientação. Não me abandone, pai; se me vir no mal caminho, não tenha medo de me condenar, já que assim esperarei que o Senhor use de sua misericórdia para comigo, ao remeter-me para o caminho certo, que a ele conduz.

Dispenso-me de lhe falar dos motivos que me causaram a última crise suportada, pois sei que o padre Paolino o informou sobre tudo.

Agora, então, venho pedir-lhe permissão, seguro de que o senhor não me recusará. Tenho vivo o desejo de oferecer-me como vítima ao Senhor para o aperfeiçoamento deste colégio que amo ternamente; por isso, não economizo dificuldades pessoais.

É verdade que tenho grandes motivos para agradecer ao Pai celeste pela transformação para melhor, ocorrida na maior parte deles [jovens], mas ainda não estou plenamente satisfeito. Portanto, suplico-lhe que não negue o que lhe pedi. Jesus me dará forças para suportar outro sacrifício.

Pai, peço-lhe com lágrimas nos olhos que não me abandone nunca; e me abençoe sempre.

À espera de uma carta sua que venha acalmar as tempestades que rodeiam o meu espírito, beijo-lhe a mão, sendo sempre

seu pobre filho,
frei Pio, capuchinho.

Caríssimo pai,

Reabro a presente para notificar-lhe o acontecido: a mãe de padre Paolino, por razões fáceis de compreender, não quer que Annita fique por mais tempo em sua casa. Tentou-se, por meio de um sacerdote de Casacalenda, fazer com que ela fosse recebida no convento das irmãs de Larino,[2] mas não foi possível.

A única porta que permanece aberta atualmente para ela é fazer com que seja aceita como simples hóspede das irmãs daqui. A própria superiora empenhou-se em antecipar o pedido para o presidente da congregação de caridade, para que um lugar lhe fosse reservado. O pedido foi acolhido: agora, o que se deve fazer? A decisão é sua.

Não a vejo bem aqui, mas não há outro caminho de salvação atualmente para a pobrezinha.

Beijo-lhe novamente a mão.

---

[2] Em Larino (Campobasso), em 1917, estavam, no seminário e no hospital, as Irmãs Apostólicas do Sagrado Coração de Jesus.

Carta 10

"SINTO A MINHA ALMA DESPEDAÇAR-SE DE DOR [...]"

O caminho progressivo para a união mística é sempre, e geralmente, acompanhado por grandes e quase insuportáveis provas físicas e morais. Entre as primeiras, destacam-se as doenças prolongadas e sem solução, enquanto as segundas se caracterizam por uma relação de ódio e, ao mesmo tempo, de preferência pelo pecado, relação tão precisamente descrita nesta carta do nosso santo [408].

San Giovanni Rotondo, 16 de julho de 1917.
J.M.J.D.F.C.

Meu caríssimo pai,
Que Jesus seja sempre a vida do seu coração, amparando-o em qualquer prova, transformando-o em si mesmo!
Deseja[1] saber distintamente como estão as coisas do meu espírito. Mas como dizer o que sinto? Acredite em mim, que é justamente isso o que constitui o máximo do meu martírio interno. Vivo em uma noite contínua: as trevas são fortíssimas.

---
[1] Alusão a uma carta à qual não se tem acesso.

Aspiro à luz, a qual não vem nunca; e se, às vezes, se vê algum tênue raio, o que é muito raro acontecer, é ele que reacende no espírito os desejos mais desesperados de rever o sol resplandecer; e esses desejos são tão fortes e violentos, que muitas vezes me extenuam e me fazem sofrer de amor por Deus e me vejo a ponto de desmaiar.

Tudo isso eu sinto sem querer e sem fazer nenhum esforço para obtê-lo. Muitas vezes, isso tudo acontece quando não estou em oração, ou quando estou ocupado em atividades corriqueiras.

Eu não gostaria de sentir essas coisas, pois percebo que, quando são muito violentas, também o físico se ressente e tenho muito medo de que isso não seja obra para mim. Parece que morro a cada instante e gostaria de morrer para não sentir o peso da mão de Deus, a qual gravita sobre o meu espírito.

O que é isso? Como devo comportar-me para sair deste estado deplorável? É Deus que opera em mim, ou é outro que age em mim? Fale claro, como sempre, e faça-me saber o que acontece.

Há, pois, certos momentos em que sou tomado por violentas tentações contra a fé. Estou certo de que a vontade não repousa aí, mas a fantasia é tão acesa e a tentação se apresenta em tão claras cores, que na mente vagueia e apresenta o pecado como uma coisa não apenas indiferente, mas agradável.

Aqui ainda se escondem todos os pensamentos de desconforto, de desconfiança, de desespero e até mesmo — não se horrorize, pai, por caridade — pensamentos blasfemos. Eu me espanto diante de tanta luta, tremo e me violento sempre e estou certo de que, por graça de Deus, não caio.

A tudo isso, acrescente ainda o fosco quadro da vida passada, em que não se vê nada além das próprias misérias e a própria ingratidão para com Deus. Sinto a minha alma despedaçar-se de dor e uma extrema confusão me invade inteiramente. Sinto-me, por isso, posto sob uma dura prensa, como se todos os ossos fossem esmagados e se separassem uns dos outros.

> "SINTO A MINHA ALMA DESPEDAÇAR-SE DE DOR [...]"

E essa tão dura obra sinto não só na parte mais recôndita do meu espírito, mas também no corpo. E mesmo aqui sou tomado pelo forte temor de que, talvez, não seja Deus o autor desse estranho fenômeno; pois, se fosse ele, como explicaria a perturbação física? Ignoro se isso é possível.

A dúvida que tenho sempre e que me persegue, portanto, é ignorar se isso agrada ou não a Deus. É verdade que o senhor me falou sobre isso muitas vezes, mas o que devo fazer se, colocado nessa áspera prova, esqueço tudo, ou, se lembro, não lembro nada de preciso e tudo é confusão?

Oh! Por caridade, tenha compaixão mais uma vez de colocá-lo por escrito. Deus vai sempre engrandecendo aos olhos de minha mente e o vejo sempre no céu da minha alma, que vai sendo envolta por uma densa nuvem. Sinto-o perto, no entanto o vejo longe. E, no crescer desses desejos, Deus se faz mais íntimo de mim e sinto-o, mas esses desejos me fazem vê-lo cada vez mais longe. Meu Deus! Que coisa estranha!

Não se esqueça, pai, de que o senhor tem um débito a saldar para com essa família religiosa, isto é, vir ficar aqui durante uma dezena de dias. Faço votos para isso acontecer o mais breve possível.

O jovem Recchia[2] tem apenas um par de sapatos ainda em boas condições, mas são filhos únicos de mãe viúva. Proceda-se, portanto, com a família a respeito de providenciar os sapatos de tecido.

Esses rapazes não veem a hora de partir para o noviciado.

Beijo-lhe a mão e digo,

frei Pio, capuchinho.

---

[2] O aluno do seminário seráfico, Pasquale Recchia, de San Marco la Catola, sobrinho da terciária Teresa Pantano, viúva Recchia (1859-1944).

Carta 11

"[...] DEVEMOS SEMPRE NOS MANTER EM DEUS, COM PERSEVERANÇA [...]"

Não é possível compreender verdadeiramente o ser humano como "espírito" senão a partir da comunhão de Deus com ele; por isso, se o ser humano como "espírito" está vivo, quer o bem e age com plenos poderes, isso não vem dele mesmo, mas da divindade. É essa a mesma percepção que tem padre Pio, que, em meio à "escuridão total", não perde a esperança de que Deus não engana o espírito de sua amada criatura [411].

San Giovanni Rotondo, 24 de julho de 1917.
I.M.I.D.F.C.

Meu caríssimo pai,
Que a graça de Jesus esteja sempre com o senhor!
Vamos, meu caríssimo pai, é tempo de eu escrever, embora, ai de mim!, seja sempre rapidamente, já que não tenho disposição. E faço isso para não fazer outra coisa a não ser agradecer-lhe vivamente pelas belas, confortantes e assíduas notícias que me deu. Viva Deus, que é tão bom com suas criaturas!

Escrevo-lhe ainda para dizer que peço continuamente nas minhas orações e na santa missa muitas graças pela sua alma, mas de maneira especial o santo e divino amor: isso é tudo para nós, é o nosso mel, meu caro pai, no qual e com o qual todas as aflições e todas as ações e sofrimentos devem ser adoçados.

Meu Deus! Meu bom pai! Como é feliz o reino interior, quando vos reina esse santo amor! Como são benditos os poderes da nossa alma, já que obedecem a um rei tão sábio! Sob a sua obediência e no seu reino, ele não permite que haja os mais graves pecados, tampouco algum afeto, nem os mais leves.

É verdade que ele os deixa aproximarem-se, muitas vezes, das fronteiras, a fim de exercitar as virtudes internas para a guerra e torná-las valorosas, e permite que os espiões, que são os pecados veniais e as imperfeições, corram aqui e ali em seu reino; mas isso é para saber que, sem ele, seremos presas de nossos inimigos.

Humilhemo-nos muito, meu bom pai, e confessemos que, se Deus não fosse a couraça e o nosso escudo, nós estaríamos imediatamente feridos por toda espécie de pecado. E é por isso que devemos sempre nos manter em Deus, com perseverança nos nossos exercícios: que essa seja a nossa assídua preocupação.

Tenhamos sempre acesa em nosso coração a chama da caridade e não percamos nunca a coragem, e, se nos sobrevém a languidez ou a fraqueza de espírito, corramos aos pés da cruz, juntemo-nos entre os celestes perfumes e seremos, indubitavelmente, revigorados.

Durante a santa missa, eu sempre apresento o seu coração ao divino Pai com o de seu celeste Filho. Ele não saberia rejeitá-lo por causa dessa união, em virtude da qual eu apresento a ele a oferta; não duvido, meu caro pai, que, de sua parte, o senhor faz o mesmo.

> "[...] DEVEMOS SEMPRE NOS MANTER EM DEUS, COM PERSEVERANÇA [...]"

Alegrei-me muito e dou infinitas graças aos céus pela graça, mediante Jesus, de o senhor reencontrar padre Pietro.[1] O senhor viu, pai, como ele está mal de saúde? Que Jesus queira conservá--lo. Digo-o sempre a Jesus, já que também amo muito o padre Pietro.

As provas do meu espírito vão cada vez mais se intensificando. Mas viva Deus!, que também em meio às provas não permite que a alma se perca. Sofre-se, mas tenho a certeza de que, em meio ao sofrimento e à escuridão total, na qual é imerso continuamente o meu espírito, não me vem menos esperança.

Termino, pai, assegurando-lhe de que as almas todas de Jesus caminham bem e combatem valorosamente. Desejo-lhe o máximo da perfeição cristã nas entranhas de Jesus e nele lhe beijo a mão com estes rapazes e lhe peço, para mim e para eles, a santa bênção.

Seu afeiçoadíssimo filho,
frei Pio, capuchinho.

O padre Paolino[2] o cumprimenta cordialmente; o reverendo[3] há muitos dias se encontra em Foggia e retornará talvez depois do Dia de Santana. Os rapazes de Vico estão aqui há cerca de um mês, e os nossos que vão ao noviciado estão ainda aqui. São tão bons! Dói-me separar-me deles.

---

[1] Padre Pietro de Ischitella.
[2] Padre Paolino de Casacalenda.
[3] Padre Luigi de Serracapriola.

CARTA 12

"AMAR AO MEU DEUS É CONSEQUÊNCIA DAQUILO QUE É CONHECIMENTO PLENO."

Neste escrito, alguns meses anteriores à famosa carta do dia 22 de outubro de 1918, visualiza-se claramente a confiança existente entre o santo de Gargano e o seu diretor espiritual, mas também o estado espiritual de sofrimento que tomava conta da alma de padre Pio, associado ao temor de não cumprir plenamente a vontade de Deus. Note-se que ele se refere a padre Benedetto como se a um "tu" que o conhecia nos mínimos detalhes da mais recôndita interioridade [490].

San Giovanni Rotondo, 19 de junho de 1918.[1]
J.M.J.D.F.C.

Meu caríssimo pai,
Que Jesus continue o seu santo amor, aumente-o em seu coração, transformando-o todo em si!

Esse voto faço sempre pelo senhor diante de Jesus, agora mais do que nunca o repito com toda a efusão de meu espírito.

Que agrade a Deus conceder, com outros votos, que faço pelo senhor, também esse. Mas, ai de mim! Como poderá esperar graças quem se tornou objeto de justa vingança do Altíssimo?

Invoco agora a reunião de todos os poderes dispersos da alma, para expor, se for possível, nesta carta todo[2] o martírio interior que sente a minha alma privada de seu Bem. Mas, ó Deus!, nenhum desses poderes responde ao apelo. Deus, como é infelizmente verdade que vós dizeis pela boca de vosso profeta: *"Nisi Dominus aedificaverit domum, in vanum laboraverunt qui aedificant eam"*.[3] Ó meu pai, meu pai, o espírito errante foge quando busco, perde-se na dispersão desoladora, como aquela busca que prova e sente ao tentar mais uma vez aproximar-se, ao menos minimamente, da simples ideia de seu Deus.

Ai de mim![4]... Ó céus! ... Onde está a minha vida? O sol olha-me indiferentemente, de surpresa, prostra-me e me assusta; sem outro refúgio onde me ocultar, se fosse possível, de mim mesmo, peço instintivamente ao justo Senhor enraivecido comigo: gos-

---
[1] Carta sem referência de endereço nem de data. O próprio padre Benedetto escreveu no envelope: 1917? Mas não resta dúvida de que a carta foi escrita em San Giovanni Rotondo, em 19 de junho de 1918; a esta, de fato, refere-se padre Pio em outra carta de mesma data — a data é referida em outra cópia autográfica enviada no mesmo dia a padre Agostino. O texto endereçado a padre Agostino contém algumas ligeiras variantes que reportamos em nota e omite a última parte do que foi enviado a padre Benedetto.
[2] A. *om:* martírio interior.
[3] Sl 126,1.
[4] A. *om.*

taria de ocultar-me de todos, pois me parece que[5] as próprias criaturas inanimadas leem[6] em minha testa a minha condenação, a minha reprovação, a minha vista* tão vergonhosa.

Ó céus!... Ó vida!... Que impressão[7] dou?!... E não sabeis que sem vós não possuo existência, e não posso mais viver sem morrer?! Ó meu pai, só dominando a minha alma, fechando-a no silêncio a quem quer que seja, somente me ocultando das criaturas consigo de alguma maneira não ruminar sobre o meu martírio interno.

Mas o execrado livro está sempre aberto, as criaturas, como o criador, estão sempre presentes; portanto, a vista delas faz virem à tona os agudos gritos de extrema necessidade dele[8] e os clamores da insistente insônia e do jejum dele.

Peno neste meu resvalar, sem querer, temo e tremo[9] que os meus gritos e loucuras sejam prejuízo para a uniformidade requerida pelo divino querer e também para a obediência. É por isso que, não conseguindo deter a vertiginosa corrida que vai para onde eu não queria, a minha exposição redobra o martírio dos meus sofrimentos e das minhas necessidades.

Aborreço-me em tal trabalho e sou tentado a destruir este[10] escrito, sem que chegue ao senhor notícia alguma. A indignidade

---

[5] A. *om*: as próprias criaturas animadas.
[6] A. *om*.: em minha testa.
* Na nota referente a este trecho, há uma contraposição entre duas palavras do italiano: "vista" (no corpo do texto) e *veduta* (na nota referida) que, em português, poderia ser representada como a diferença entre "vista" e "visão". (N.T.)
[7] Isto é, "vista, visão".
[8] Em *A*. se lê o seguinte: "Abrindo o execrado livro, aparecendo diante das criaturas, vem à tona o eco dos agudos gritos de opressora necessidade de Deus".
[9] A.: temendo, em vez de "temo e tremo".
[10] A.: acrescenta: meu.

desta criatura, a sua dureza de cerviz, a rejeição que Deus lhe dirigiu não merecem nenhum socorro nem direção.

Tudo é devorado por uma força oculta que se consuma depois do instantâneo alívio, ou depois de simples e fugaz despertar; assim, a preciosidade do conselho e da direção dissipa-se com aumento do dano, pela prestação de contas que lhes pedirá o Senhor.

Ó meu pai, não abandone esta alma ingrata a seu Deus; não rejeite este cego que destruiu as santas alegrias por não se apascentar, não se alimentar a não ser do que era imundo! Ó Deus, coloquei-me a olhar isso e, diante de tal visão horrenda, tremo! Busco, meu pai, pelo fosco precipício no qual me vejo rolar, e, se alguma vez parece-me subi-lo, não sei, e não o encontro nem o subo, e os meus braços cansados recaem em abatimento, o vão agitar-se da alma na busca de seu bem, que tormento, que cruel martírio, que inferno é para a pobrezinha.

Onde devo encontrar o meu Deus? Onde pousar este pobre coração que sinto como se arrebentasse o peito? Busco-o com constância, mas não o encontro; bato no coração do divino prisioneiro e não me atende. O que é isso? A minha infidelidade tornou-o tão inflexível?[11] Poderei esperar misericórdia e que ele, enfim, escute os meus clamores, ou devo renunciar a essa esperança? Ó Deus, que a minha horrorosa obstinação seja, enfim, suprimida. Meu bem! Que eu vos ame, enfim, com aquele amor que vos me pedis; que eu torne a vós, enfim, nesta trabalhosa e aflitiva busca.[12]

Meu pai, nu e esquálido é o meu espírito; este coração é árido e seco para o seu Deus,[13] aqueles não dão quase movimento para este que, de sua bondade, os criou. Quase[14] não tenho

---

[11] A.: duro.
[12] A. *om.*: que eu [...] busca.
[13] A.: para Deus.
[14] A. *om.*: quase.

mais fé: estou impotente para levantar-me nas felizes asas da esperança, virtude tão necessária para o abandono em Deus, quando o auge da tempestade se enfurece e a transbordante medida de minha miséria me comprime. Não tenho caridade. Ah![15] Amar ao meu Deus é consequência daquilo que é conhecimento pleno, na fé operante, e das promessas nas quais a alma mergulha, recria-se, abandona-se e repousa ainda na doce esperança. Não tenho caridade[16] pelo próximo, pois esta é consequência daquela; faltando a primeira, da qual o suco vital desce aos ramos, todo ramo perece.

Sim, sou privado de tudo, ó pai, até mesmo da larva da virtude, a ponto de parecer-me um estado de tepidez fatal, pelo qual justamente Deus vai cada vez mais me rejeitando[17] de seu coração. Eu percebo que a minha ruína é irreparável, pois não vejo maneira de sair dela.[18] Ai de mim! Perdi toda a estrada, todo o caminho, todo o apoio, toda a regra: e, se tento despertar a minha memória apagada, a misteriosa dispersão tem lugar, e me encontro mais perdido do que antes,[19] mais impotente para me levantar, e a misteriosa escuridão torna-se mais densa.[20]

Meu Deus, por que se agita e se tortura, agita-se ainda mais uma vez e se transtorna com tanta violência[21] esta entristecida alma, esta alma já aniquilada e cujo aniquilamento diz-se movido, causado, querido por vosso comando e permissão?

Oh! Meu pai, o senhor que sabe dele, diga-me, peço-lhe, e não me reproche a minha dispersão,[22] a minha ânsia, o meu

---

[15] A. om.: Ah!
[16] A. acrescenta: "caridade".
[17] Cf. Ap 3,16.
[18] A. om.: E eu vejo [...] sair dela.
[19] A.: mais perdido, mais impotente e mais obscuro do que antes.
[20] A. om.: para me levantar [...] mais densa.
[21] A.: com tal violência.
[22] A. om.: a minha dispersão.

errar em busca dele; não me reproche[23] pela falta de abandono deste espírito, que clama o pouso mais cego e humilde no divino consentimento, diga-me, por caridade: onde está o meu Deus? Onde posso encontrá-lo? O que devo fazer para ir à busca dele? Diga-me: encontrá-lo-ei? Diga-me: onde devo pousar este meu coração que está extremamente doente de morte e que,[24] instintivamente, sinto[25] sempre em uma contínua busca trabalhosa e penosa?

Ó Deus, ó Deus, dizer outra coisa não posso: por que me abandonastes?[26] Este espírito, justamente percorrido pela vossa divina justiça, jaz em uma veemente contradição, sem nenhum recurso ou notícia, exceto[27] pelos fugazes clarões, atos que aguçam a pena e o martírio. Sinto-me morrer, queimo de aridez, torno-me lânguido de fome, ó pai,[28] mas parece-me que a fome já vai se restringindo à ânsia de uniformidade aos divinos quereres, da maneira que ele quer.

Como, pois, se me sinto sempre tão agitado, tão irrequieto,[29] torna-se para mim torturante a minha insônia e a falta de abandono, a tortura do abalo, a falta de entendimento para compreender tal querer divino? Nenhuma asseguração consegue insinuar-se no espírito cerrado, salvo o fulminante instante no qual passa e voa a notícia, para solicitar, pois, outra fome e sede e necessidade de Deus.

Mas *fiat*, eu repito sempre, e outra coisa não desejo além do cumprimento exato deste *fiat*, justamente da maneira que ele o

---

[23] A. *om.*: não me reproche.
[24] A. *om.*: extremamente [...] que.
[25] Sinto. A.: é.
[26] A. *om.*: Ó Deus [...] abandonaste?
[27] A. que.
[28] A. *om.*: ó pai.
[29] A. *om.*: tão irrequieto.

requer generoso e forte. Oh!, pai, eu lhe peço também[30] o assíduo socorro da sua oração, pois me vejo a ponto de ser esmagado, sufocado e afogado[31] sob tão dura prova. Vejo o inferno aberto sob os meus pés,[32] ou melhor, já desci:[33] estou a ponto de naufragar. Apenas o temor de ofender a Deus novamente me faz estremecer, assusta e faz agonizar. Eu temo pelo meu coração, infelizmente ignorante como é[34] do verdadeiro mal. A férrea intenção leva a obedecer às cegas; mas temo por alguma surpresa[35] de meu coração, que não se deixe levar pela ignorância de minha vontade abatida; sofro, por isso, penas de morte na dúvida de transgredir ao comando da obediência e desagradar, ao mínimo que seja,[36] ao meu Deus.

Meu pai, quantas coisas teria ainda para lhe dizer, quantas necessidades teria para lhe expor, mas não posso, pois a dor que oprime o espírito é demais e poda a minha maneira de me expressar.

Espero do senhor a costumeira caridade,[37] e mande a toda a igreja orações e sacrifícios na Festa dos Santos Apóstolos.

Eis manifestada ao senhor, da melhor maneira possível, a origem deste novo estado. Meu Deus! Não sei expressar, pai, a resistência e a violência que tive que praticar ao manifestar-lhe essas coisas; manifestei-as ao senhor com viva força, em virtude de sua obediência, que quer que nada fique em silêncio. Tive que

---

[30] A. *om.*: também.
[31] A. *om.*: sufocado e afogado.
[32] A. os meus pés, e om.: ou melhor, já desci.
[33] A. *om.*: novamente.
[34] A. *om.*: como é.
[35] A. *om.*: que alguma surpresa.
[36] A.: minimamente.
[37] A carta endereçada a padre Agostino termina desta maneira: "Espero do senhor a costumeira caridade, e esteja certo de que eu não paro de apresentá--lo sempre ao Senhor, mesmo deste inferno onde me encontro. Beijo-lhe a mão e peço o conforto de uma sua bênção assídua. O seu pobre filho, frei Pio, capuchinho".

muito me cansar ainda ao libertar-me das garras de satanás e peno agora em sentir a sua reivindicação: ele inocula em mim continuamente o seu veneno, e em poder de suas forças não é possível achar a saída, quando todo caminho está fechado e nenhuma fresta indica como fugir.

Meu Deus! Até quando deverei permanecer nesta época sanguinolenta? O meu estado é simplesmente desesperador: o homem animal se manifesta em toda a sua realidade abominável: sinto compaixão de minha excessiva miséria.

Meu pai, quando acabará essa atroz carnificina? Parece-me que foi retirada toda a beleza da graça da alma; sem esse ornamento tão necessário, apenas com a própria capacidade, aproxima-se do nível dos brutos.

Tal conhecimento apresenta-se para mim ao vivo, com todo o aparato das tendências e atentados.

Meu Deus, dai-me as penas e a força para saber sofrer, e sofrer com amor, para a punição das minhas culpas. E aqui, pai, parece-me faltar a contrição. O homem velho reina soberbo e não cede nem quer cair; nenhum esforço parece-me suficiente para dominar esta soberba que resiste até parecer-me que venceu.

E eu me reconheço em tal ruína e choro, sem encontrar energia suficiente para humilhar tanta arrogância. A vontade está em seu pleno desgosto e não sabe ou não quer dar força ao espírito para pronunciar, como se deve, o *fiat* do rejeitado.

O que é tudo isso? A minha jornada começou em 29 de maio e não acaba nunca. Sinto-me esmagado moral e fisicamente; e parece-me não percebê-lo em todo o seu aparato aterrorizante na explicação do meu ministério.

Tão maltratado, assediado, tedioso, suspirando me aproximo do altar com desgosto e repugnância pela veemência que me acompanha — monstruosidade e feiura. O que acontece naquele

> "AMAR AO MEU DEUS É CONSEQUÊNCIA DAQUILO QUE É CONHECIMENTO PLENO."

horrível entretempo que estou no altar não consigo dizer, pois a alma o sente sem percebê-lo.

Como? Não pode estar aqui um beijo sacrílego, quando a vida sente-se suspirosa e sangrenta, e a essência vital dá indício da verdadeira condenação? Na maioria das vezes, não saberia dizer-lhe se estou longe ou não da nobreza do ato; a apatia parece acompanhar-me antes e alegrar-me depois.

Ó Deus! Se eu tivesse pensado nisso naquele instante, a vida cederia. Um só sinal bastou em outros tempos para me fazer curvar-me sobre o altar. O sono letárgico, que se formava na impotência completa, era sempre muito atormentado e quase sempre seguido pela impetuosidade dos esforços, pela completa ligação entre os sentidos internos e externos do corpo.

Pelo quanto pude e soube dizer, julgue se o meu estado não é verdadeiramente digno de compaixão. Espero ter sabido explicar matéria tão difícil e delicada — para mim, tão perigosa. Temo enganar-me, manifestando por verdade aquilo que poderia não ser. Meu pai, confio no senhor, para que a minha alma não se alimente de verdadeiras ilusões.

Termino, mas com tanta pena e remorso!... é bom que se cale o ínfimo, o degradante, o desprezível, e eu devo me calar. Para que tantas reclamações, se a justiça de Deus, que é justa, santa e bem apropriada, me atingiu?

Perdoe, meu pai, a minha dureza, à qual estou unido e não consigo esconder; abençoe-me sempre e não deixe de continuar a ajudar-me, e esteja seguro de que faço orações assíduas para o Senhor e a Deus ofereço-me sempre. Beijo-lhe a mão com profundo respeito.

Seu pobre filho,
frei Pio, capuchinho.

Nesta manhã, aqui chegou a sua cartinha, escrita a padre Paolino. Creio inútil reenviá-la a Montefusco, pois ignoro até quando ele permanecerá lá. Após o seu retorno, eu lhe entregarei a sua carta e dela apreender-se-ão os seus quereres. O senhor, de qualquer modo, envie Bozzuto[38] e Grilli a Foggia no dia 3, e lá eles encontrarão padre Paolino.

O sobrinho de frei Carmine,[39] que deve ir para Vico, está aqui. Disseram-me que o rapaz de San Giovanni, que vai ingressar no colégio, foi reprovado. *Quid faciendum*? Outros dois rapazes daqui também gostariam de ingressar no colégio; eles obtiveram a aprovação nos exames. Mas ninguém da família foi consultado até agora.

---

[38] Somente Bozzuto Luigi (padre Emmanuele de San Marco la Catola) se apresentou em Foggia, acompanhado por padre Benedetto, em vez de ir a San Marco la Catola, pois Grilli não havia alcançado ainda a idade canônica.
[39] Frei Carmine de San Bartolomeo em Galdo, nascido em 22 de agosto de 1905 e falecido em 17 de maio de 1933.

Carta 13

"DIGA A JESUS PARA QUE EU NÃO SEJA MAIS UM TIRANO [...]"

Admirável traçado de íntima confiança em seu diretor espiritual, nesta carta, padre Pio expõe os fenômenos antecipadores da estigmatização de ordem declaradamente mística. É muito sincero, pois, quando, abatido pela dor que se apresenta em seu espírito, comportando-se como um verdadeiro apaixonado de Jesus, ele pede a seu pai espiritual: "Diga a Jesus para que eu não seja mais um tirano, a ponto de tiranizar a ele mesmo[...]" [496].

San Giovanni Rotondo, 27 de julho de 1918.
J.M.J.D.F.C.

Meu caríssimo pai,
    Que Jesus continue a dar sempre a sua assistência e o faça santo!
    A fúria tempestuosa que transtorna e ruge em torno e dentro do meu espírito me leva a dirigir-me ao senhor antes do tempo: ignorante mais do que nunca do meu futuro, surpreso, espantado, recorro ao senhor cheio de ansiedade para saber alguma notícia,

obter um indício dele e o que devo fazer para reencontrá-lo e ser admitido em seu abraço, já que é horrível a minha sujeição atual; sou esmagado sob a pesada massa de tantas penas e martírios.

É, de fato, nova a minha atual posição destes dias: diria totalmente nova, tanto que não posso de nenhuma maneira exprimi-la, nem expressar com palavras a intensidade de tais desvios do espírito, mais perdido do que nunca, disperso e desprezado.

Pai! Meu Deus!!!... mais não posso pronunciar! Este é o mais refinado martírio que a minha fragilidade poderia suportar: o espírito parece declinar a cada momento aos golpes da divina justiça justamente encolerizada contra esta perversa criatura e se parte: o coração parece estar quebrado, pois não mais sangra em razão da fúria cada vez maior da constante morte impiedosa.

Meu pai! Meu Deus! Perdi todos os sinais, todos os vestígios do sumo bem, no sentido mais rigoroso. Todas as minhas aflitas buscas à procura desse bem se tornam inúteis; estou só em minha busca, sozinho em minha nulidade e miséria, somente à viva imagem do que possa acontecer, mesmo em experimental cognição; estou só, completamente só, sem cognição nenhuma da suprema bondade, exceto um desejo muito forte, mas estéril em amar essa suprema bondade.

Em meio a este total abandono, vejo-me restrito a viver, quando a cada instante deseja-se morrer para alívio da vida torturante que se vive. Ai de mim!... Meu Deus, meu Deus! Nenhum outro lamento me é permitido emitir pela profunda amargura de meu coração, à qual me vejo condenado, a não ser este: por que me abandonastes? Vãos foram os modestos esforços feitos para sobreviver a este feroz arrebatamento: é urgente que eu viva de ti, e em ti e contigo, ou morra. Ó vida, ó morte! A minha hora é aterrorizante, e eu não sei, meu pai, como ir além e quem sabe por quanto tempo ainda se prolongará esta terrível hora.

Diga a Jesus para que eu não seja mais um tirano, a ponto de tiranizar a ele mesmo, que muito se faz buscar, e já que se busca entre os eleitos e não se encontra, vem a terrível tentação de buscá-lo entre os inimigos. Essa tentação a ser combatida é terrível: parece dispersar e inverter e abater tudo o que a semiacesa alma possa fazer para germinar o fio da esperança, o que faz crer contra a própria esperança.

Meu Deus!... o que é este meu estado?... Meu pai, parece-me inútil chamá-lo em meu socorro, quando a morte é morte, e ocorre a ressurreição de um cadáver já em putrefação. Quero sofrer: é esse o meu desejo, mas que eu saiba penar e levar paz para a minha derrota, com o abandono de Deus, por justa e merecida punição para a minha infidelidade.

Vejo justamente como sou, e tal conhecimento me faz saber que não mereço nenhum olhar divino e humano; desço a cada dia no abismo monstruoso de minha deformidade; essa morada me faz compreender o que me cabe.

Cesse, meu pai, cesse por caridade, de jogar pérolas preciosas a este imundo animal que não sabe usá-las, nem saberia lhes dar o valor que merecem: a este sujo animal, convêm as bolotas e tudo o que é resto e desprezível.

Meu pai, busco reencontrar o meu Deus, sinto ainda em mim um fio de esperança; mas permaneço enfastiado, vendo e constatando inútil o intuito, e certa a vanidade dos meus cansaços. O Senhor trabalha, digo-o e o senhor faça passar essa minha palavra, com satanás, e eu estou condenado a consumir-me em minha condenação, consumindo favores, esforços, sacrifícios e benefícios do próprio Deus e da autoridade, que tanto se esforçam (e Deus queira que não seja em vão até o fim) pelo meu bem...

Fechado completamente à luz do dia, sem uma fresta que diminua a minha noite eterna, rastejando no pó do meu nada, agito-me em vão, impotente na lama das minhas misérias de todo o tipo. É justa a posição do réu, do soberbo arremessado em tão vil escuro e difícil abismo do abatimento do Onipotente que resiste a ele. Ó Deus! E qual remédio acabaria por atravessar esse extremo limite que parece não chegar ao fim e truncar toda a esperança?

Ó meu pai, é uma força imperiosa que me faz esquecer toda asseguração que me foi feita pela autoridade. Meu Deus, quem pode cortar todo o fio de comunicação, destroçar os germens da boa vontade da alma, cegar tanto e tornar inerme o espírito, de tal maneira que se encontre em disposição de não poder reter o alimento essencial que é preparado para a sua conservação e salvação? Eu me horrorizo, enquanto, não por acaso, revelo a verdade experimental daquilo que afirmo.

É a correta justiça, é o vosso justo desdém provocados pela minha infidelidade, que a esse rigor vos impele. Sou desprezível aos vossos e aos meus olhos, como aos dos vossos anjos, e é por isso que mereço a vossa repulsa, a vossa rejeição e o vosso abandono. Eu me calo, ó Senhor, ao ver que esse vosso rigor é o reflexo dos meus erros. Mas, meu Deus, poderei ainda esperar o vosso retorno a mim? Do Senhor espero, ó pai, a resposta para essa aflita pergunta.

Encontro-me confinado a viver neste estado, sem nenhum descanso e com sempre crescente aflição, que torna a minha posição torturante muito além dos dizeres, desde a Festa dos Santos Apóstolos.[1] E eis a maneira como acontece: lembro-me de que, na manhã do dito dia, no ofertório da santa missa, foi-me dado um suspiro de vida; não saberia dizer nem mesmo de longe o que aconteceu naquele fugaz momento em meu interior; senti-me estremecer, enchi-me de extremo terror e pouco faltou

---

[1] Como dirá adiante, o que acontece na Festa de *Corpus Domini*, e não na dos santos apóstolos Pedro e Paulo.

para que me faltasse a vida; depois isso foi substituído por uma completa calma nunca antes experimentada por mim.

Todo esse terror, estremecimento e calma que se sucederam foram causados não pela visão, mas por uma coisa que senti tocar a parte mais secreta e íntima da alma. Eu não consigo dizer mais sobre esse acontecimento. Que agrade a Deus fazer-me entender o que aconteceu em sua realidade.

Durante esse acontecimento, tive tempo de oferecer-me inteiramente ao Senhor com a mesma finalidade que tinha o Santo Pai ao recomendar à Igreja inteira a oferta de orações e sacrifícios. Logo que acabou isso, senti-me arremessado nesta tão dura prisão e senti todo o estrondo da porta que me fechou dentro dela. Senti-me comprimido por duríssimos troncos e senti rapidamente a vida diminuir em mim. A partir daquele momento, sinto-me no inferno sem nenhum descanso, nem mesmo por um instante.

Pai, perdoe-me. Errei na descrição. O que lhe expus não aconteceu na Festa dos Santos Apóstolos, mas na Festa de *Corpus Domini*.[2] E a oferta que fiz foi com a finalidade que tinha o Santo Pai ao...[3]

---

[2] Em 1918, a Festa de *Corpus Domini* era celebrada em 30 de maio.
[3] Assim termina a folha: falta o resto. Com certeza, refere-se ao moto-próprio de Bento XV, *Quartus iam annus*, de 9 de maio de 1918, com a qual indicava uma missa propiciadora pela paz na festa dos santos Pedro e Paulo. Cf. *Acta Apost. Sedis* 10 (1918), pp. 225-227.

CARTA 14

"[...] NA NOITE DO DIA 5, QUANDO DE REPENTE FUI TOMADO [...]"

Em 30 de maio de 1918, padre Pio recebe um dos "toques essenciais" mais relevantes, com a "ferida de amor", que teve efeitos maravilhosos. Contudo, não fala logo sobre isso em suas cartas; nesta seleção, de fato, constata-se a omissão. Entre 5 e 7 de agosto do mesmo ano, tem lugar, então, o fenômeno místico da "transverberação do coração", prelúdio do prodígio dos estigmas do próximo 20 de setembro, fenômeno que imprimirá em sua vida um desenvolvimento decisivo [500].

San Giovanni Rotondo, 21 de agosto de 1918.
J.M.J.D.F.C.

Meu caríssimo pai,
Que Jesus esteja sempre com o senhor e lhe pague duas centenas de vezes mais o bem que se esforça para levar à minha alma!
Eis-me novamente perante o senhor com penosíssimas aflições e com absoluta impotência do espírito enfermo e cansado, que se agita entre infinitas dificuldades e contradições.

Meu Deus, meu pai, quantas necessidades oprimem a todo momento o meu espírito, que vai se desfazendo e deteriorando em sua dor. Reencontro-me a cada momento sempre mais perdido na fosca e crescente desordem do Espírito, na escuridão, na dolorosa perda de todos os poderes e no desaparecimento dos sentidos.

Em vão me empenho em revocar todos, e uns e outros, tudo me foge. Será — penso — um grito e um trabalho vão este meu trabalhar para que ninguém me escute, e a consequente ajuda do anjo que me guia uma perda de tempo e um estrago, pelos quais será grande a prestação de contas a Deus?[1] Isso concorre para tornar mais torturante o meu martírio.

Como vê, pai, tudo me condena, e a clara, real, experimental visão de mim mesmo é confirmação da irrevogável sentença que Deus talvez já tenha emanado sobre mim. Onde estou? Apresenta-se a mim insuperável a dificuldade de meu estado, máxime neste dias de mais refinado inferno. Para onde vou? Não tenho caminho, tudo perdi e talvez irreparavelmente: não conheço mais meios, não tenho mais raio de luz algum, não tenho face, nem regra alguma, nem vida, nem mais verdade a apreender para poder me nutrir e refazer e assim esperar contra *spem*, como o senhor[2] me sugeriu.

Estou pronto para tudo, esforço-me a me dispor para tudo, mas não há maneiras nem meios para poder voltar à vida e dar-me ajuda com lembretes e apoios, já que tudo é devorado e destruído[3] por uma força oculta que deve ser poderosa. Ó caminho, verdade e vida, dai-me aquilo de que a minha alma precisa, antes

---

[1] A mesma carta, com algumas variantes, foi enviada com a mesma data a padre Agostino. Nas notas seguintes, reportamos as variantes do texto endereçado a padre Agostino.
[2] A.: pelo senhor e pelo padre provincial me foi sugerido.
[3] A. om.: e destruído.

que mergulhe no vasto oceano de abismo que inelutavelmente me convida e leva para me devorar!

Meu pai, não tenho forças para suportar tão torturante martírio, tão horrenda carnificina; este é o terceiro dia em que sou obrigado a permanecer impotente na cama, e parece-me que ainda mais um pouco e não o chamarei mais se piorar; quando o arrebatamento aniquilar o meu espírito e a impossibilidade tornar-se verdadeira, o que eu farei então? O atentado é forte e formidável por todos os lados, em todas as direções, sobre todas as matérias, tocante a cada ponto, cada visão, cada aspecto; cada virtude é colocada à prova.

Meu Deus! E este não é o verdadeiro abandono de um Senhor, de um Deus poderoso em palavras e em obras? Ah! sim, meu pai, eu o vejo, é Deus que opera tudo isso; mas, sem ele, o que posso fazer senão me resignar a alegrar-me com a tempestade que ruge furiosamente em torno a mim? E no fundo do mar não encontrarei, porventura, a morte eterna? A vista é clara e me tortura e fulmina, e, se eu tivesse um suspiro de pureza, eu estaria[4] incinerado e seria levado a crer o contrário.

Percebo em mim a falta de um soberano bem, no sentido substancioso e perfumado que ele deixou em sua passagem repentina. Oh!, não suporto tal ferocidade soberana de um Senhor sábio, justo e bom! E eu diria ao inferno: tome-me, que é justo, e ele é tão justo e santo, mas eu não suporto ter que me resignar à vista da morte eterna para o meu espírito, por Deus, luz e sapiência eterna.

Desça, pai,[5] ao segredo do meu espírito, cheio de tantas misérias e imperfeições: não consigo expô-las, mas são inumeráveis ao quanto me parece, e certamente expressá-las provoca

---

[4] Na autografia, também em *A.*: ficaria.
[5] *A.* acrescenta: comigo.

a repugnância alheia, como a rejeição é manifesta ao Deus de pureza por sua boca.

Não encontro nenhum modo que atenue a justa ira do Senhor, se não conseguir comprazer o seu coração, e eu não encontro maneira de poder fazer isso. Eu vejo que tudo são espinhos que estou procurando e que procurei, e isso não é um parecer, a realidade refulge em toda a sua clareza; empenho-me em sair deste tão lutuoso estado, mas me encontro vencido, sem sabê-lo e sem querê-lo, pelo mal que não gostaria de fazer. Ah! Onde poderei me recuperar das flechas de um Deus que fulmina e fere?

Chega[6] de gritar; é bom que se cale quem tem o dever de calar-se e que já se encontra derrotado. Desespero-me de tudo, mas não daquele que é vida, verdade e caminho, e a ele peço tudo e nele me abandono, já que ele foi tudo para mim. Ai de mim! Meu bem! Seria vosso para sempre se tivesse sabido me render aos vossos atraentes aliciamentos, mas convém que, ao fim, me curve àquilo a que não queria curvar-me, convém que me curve diante desta fatal verdade, mas sempre verdadeira, que é a única que me cabe: que vós devais talvez me faltar para sempre.

Meu pai, não me censure, estou fora de mim e deixo-me levar por aquilo que vejo e que sinto. As vãs tentativas de me prender à orientação[7] e à obediência me reduzem a uma verdadeira angústia e desencorajamento, embora eu sempre me repreenda e sufoque isso em seus primeiros movimentos.

Não deixarei de gritar sempre por ajuda, mas, ó Deus!, não foi sempre vão estender a mão paterna ao cego de eterna morte e ignorância? Mantenha, é preciso dizer, a ajuda para quem sabe merecê-la: sinto muito o peso da responsabilidade pelo valor dela. E talvez não seja vã a ajuda, pois o meu caso não é verda-

---

[6] *A.: sufficit.*
[7] *A.: às orientações.*

deiramente desesperador? Muito me confunde constatar sempre mais contraditória a luz sinistra que projeta o meu espírito com aquela suave que o senhor diz ser a minha guia.

Constato em mim esta verdade: a de não ter quase mais força para sustentar a luta: morro de fome diante da mesa ricamente posta; queimo-me na aridez sob a fonte da qual aflora a pura água... o que mais? A luz me cega antes de me iluminar. Como? Estou cansado de cansar o guia,[8] e os apoios e a obediência me são amparos para não me abandonar ao abandono completo. Por força dela, induzo-me a manifestar-lhe o que acontece em mim desde o dia 5 (à noite), e todo o dia 6 do corrente mês.

Não preciso dizer-lhe o que acontece nesse período de superlativo martírio. Estava confessando os nossos rapazes na ocasião, quando de repente fui tomado por um extremo terror à vista de um personagem celeste que se apresentou para mim diante do olho da inteligência. Tinha na mão uma espécie de artefato, semelhante a uma longa lâmina de ferro com uma ponta bem afiada, e parecia que, dessa ponta,[9] saía fogo.

Ver tudo isso e observar o dito personagem arremessar na alma, com toda a violência, o citado artefato foi tudo uma coisa só. Com dificuldade, emiti um lamento, sentia-me morrer. Disse ao rapaz que se retirasse, pois me sentia mal e[10] não tinha mais forças para continuar.

Esse martírio durou, sem interrupção, até a manhã do dia 7. O que sofri nesse período tão lutuoso não sei dizer. Até mesmo as vísceras eu via que eram diaceradas e estiraçadas por aquele artefato, e tudo era posto a ferro e fogo. Daquele dia até hoje, estou ferido de morte. Sinto no mais íntimo da alma uma ferida que está sempre aberta, que me faz sofrer assiduamente.

---

[8] *A.*: os meus guias.
[9] *A.* om.: ponta.
[10] *A.*: pois não me sentia e não podia prosseguir a confissão.

Não é essa uma nova punição infligida a mim pela justiça divina? Julgue quanta verdade está contida nisso e se eu não tenho toda a razão de temer e de estar em extrema angústia. Beijo-lhe a mão com profundo respeito e veneração e, pedindo-lhe a santa bênção, repito;

seu pobre filho,
frei Pio, capuchinho.[11]

---

[11] A.: o vosso afeiçoadíssimo filho, frei Pio. A partir de hoje, apresento-lhe os mais sinceros e cordiais cumprimentos por seu onomástico, que venho repetindo com a mais viva insistência junto de Jesus.

Carta 15

"[...] A FERIDA QUE FOI REABERTA SANGRA [...]"

A interpretação desta carta é clara, constatando que, como para o hebreu do Antigo Testamento, também para padre Pio o conhecimento do que lhe acontece não é algo que ele alcança com a busca de sua mente, mas algo que se obtém no dom de si, se com o coração ele se dispõe a escutar. Isso explica bem, pois o coração, e não a mente, é a sede da racionalidade para que a Palavra, além de sapiência, traga alegria. Particularmente interessante é a menção à ferida que sangra [504].

San Giovanni Rotondo, 5 de setembro de 1918.
J.M.J.D.F.C.

Meu caríssimo pai,
Que Jesus esteja sempre com o senhor e lhe pague tudo o que faz por minha alma![1]

---

[1] No dia 6 de setembro, padre Pio endereçava a mesma carta a padre Agostino, inserindo algumas leves variantes; transcreveremos três ou quatro, que servirão para esclarecer melhor algumas frases.

Recebi a sua carta e, cheio de reconhecimento e gratidão, lhe agradeço o que nela me disse. Agora estou aqui de novo com a alma sangrando, em busca de um novo suspiro vital. A agonia vai crescendo cada vez mais, e não pretende deixar sequer um frágil fio ao qual está agarrada uma mísera existência. E eu temo que esse frágil fio se despedace e que assim eu caia em poder da decretada ruína, que parece impor-se de maneira a não admitir atenuantes nem desistências.

O tremor e o temor não são infundados: eu vejo e percebo que o fio vai se tornando cada vez mais fino; parece-me que, apesar do empenho em agarrar-me a esse fio, não consigo, e, depois da vã tentativa, devo assistir à duríssima tortura de ver-me reduzido à impotência e de abaixar os braços pelo cansaço; os rápidos raios que tentam me dar esperança na própria impossibilidade parece-me que vão cada vez mais se rarefazendo. Ai de mim, ó Deus!... nada tenho além do grito delirante de uma vítima que está em poder de contrários que guerreiam impiedosamente sem que ela saiba, sem a sua concorrência nem adesão, sem as suas próprias energias, quando já se tornam menores,[2] enquanto é justamente o objeto e o escárnio de tão grande e assíduo furor.

A luta é furiosa, e, mais do que esta, a suma fraqueza desta alma coloca terror em seus mais recônditos segredos que a conduz ao poder de delíquios penosíssimos. Meu pai! Que enfim o poderoso Senhor acabe com o exílio do espírito soberbo, que, tentando resistir, recebe a cada instante a chuva de fogo de sua derrota.

Pai, eu pedi desde os primeiros anos que os meus olhos se abrissem à luz da graça, ao próprio conhecimento íntimo e claro com o de Deus-Bondade; e, agora que estamos na plenitude dessas visões experimentais, os dois quadros opostos aterrorizam a criatura, que, vil e indigna, em vão tenta mais uma vez

---

[2] A. acrescenta: por seu vão empenho.

agarrar-se a tudo, reconhecendo e sabendo o quanto ela vale e é, e, ai de mim!, vendo tal monstruosidade e abjeção, o espírito não as suporta ao ver-se e, além disso, ter que olhar aquilo que lhe é de relativa tortura.

Gostaria, meu pai, de esvaziar o meu coração de tudo isso, gostaria de contar-lhe sobre o meu estado atual e explicar-lhe, mas não me é dado o poder do alto; quanto mais tento, mais me distancio do verdadeiro, e, ao perceber o raio pleno que vibra e ilumina para aterrorizar-me, quando vou agarrá-lo, retira-se e desaparece.

Vejo-me submerso em um oceano de fogo; a ferida que foi reaberta sangra e sangra sempre. Só essa ferida bastaria para me dar mais de mil vezes a morte. Ó meu Deus, por que não morro? Oh!, não vedes que a própria vida, para a alma com que vós vos ocupais, é tormento? Vós sois cruel e permaneceis surdo aos clamores de quem sofre e não o confortais? Mas o que estou dizendo?... Perdoe-me, pai, estou fora de mim, não sei o que digo. O excesso de dor, que me causa a ferida que está sempre aberta, torna-me furioso contra o meu querer, faz-me sair de mim e leva ao delírio, e eu me vejo impotente em resistir.

Diga-me, pai, claramente: ofendo o Senhor nesses excessos em que caio? O que devo fazer para não desagradar ao Senhor, se o combate é impetuoso e não há força que baste para resistir-lhe? Meu Deus!... que cesse logo a minha vida física, se à morte espiritual é vão todo esforço para ressurgir. O céu, penso, fechou-se para mim, e cada ímpeto e cada gemido retornam como flecha para ferir o meu coração. A minha oração parece ser vã, e, já na primeira tentativa de se aproximar de novo para entrar, o meu espírito abatido encontra quem o despe de toda ousadia e poder, desanimando-o[3] em sua absoluta impotência e no nada, justamente no nada poder arriscar mais, embora

---

[3] *A.* acrescenta: e reduzindo-o.

dali a pouco arrisque mais uma vez e se encontre reduzido à própria impotência.

Meu Deus, sabei-o bem, mandai ao menos luz para o guia, para que veja o que eu não vejo, a verdadeira fonte de tantos males em sua criatura. Nunca tive tão inertes e cerrados poderes. Oh!, que amargura é isso para a vontade, para a memória e para o intelecto! Penso que, para uma vontade que queira e tenha ao menos o desejo do bem, é dura e inconcebível a pena que sofre. E ainda que alguém esteja enriquecido, nos seus atributos e direitos, pela vasta recordação da riqueza divina e, com relação a si mesmo, nos próprios deveres e respeitos por seu Criador, é profundamente dura, a incompreensão de tudo aquilo que, depois, misteriosamente se reflete e faz borbulhar a covardia da miséria que a partir daí lhe é investida, mas aprisionada e restrita, cega e desarraigada da própria bagagem tão memorável.

O intelecto é esmagado sob a prensa; ilustrado, tornou-se cego; e é uma cegueira tão dolorosa, que somente quem a experimentasse poderia dar certa prova de importância: sobretudo porque, penso,[4] para um intelecto que foi despertado pelas provas e, depois, colocado em contraste pelos raios esplendorosos da verdadeira vida que se esconde nele desde o seu nascimento, a pena se torna totalmente insuportável.

Não tenho mais força. Embora me esforce para continuar a despejar no senhor, ó pai, toda a turbada maré que está em minha alma, para que reflita sobre isso à luz divina e possa me ajudar a purificar totalmente o dano. Parece-me que todas as más tendências do velho homem estejam em voga e que as clamorosas, as cruéis inclinações, a vivíssima sensibilidade da alma não causam

---

[4] Até o fim do parágrafo, o texto de *A*. é como segue: "para um intelecto que se tornou excessivamente sensível e quase que exposto a público pelos raios esplendorosos da verdadeira vida que se esconde nele desde o seu nascimento".

em seu íntimo o mínimo abalo ou lesão. E eu tenho a coragem de olhar e de olhar-me inerte sempre,[5] sem poder divertir os olhos da mente concentrados nesse nefasto quadro.

O que aconteceu? Tenho frequentemente o satanás perto de mim com suas vivazes sugestões.[6] Fiz todos os esforços para combatê-lo, mas percebo estar impotente para saber me libertar com uma vontade mais enérgica; temo que ele não tenha nada a ganhar, pois o vejo sempre por perto e sempre voltando à agressão. Portanto, algo ele ganhou e espera ganhar mais.

Meu Deus, é possível que a minha existência deva ser um assíduo desagrado a vós? O assalto avança, meu pai, e me golpeia ao meio: a santa obediência, que era a última voz restante para manter sólida a fortaleza decadente, parece também que cede ao influxo satânico.

Quero crer a todo custo nessa voz e de fato creio, ignorando se é um crer da boca para fora ou mesmo com toda a vontade; mas percebo que essa voz da obediência submerge-se na fúria das ânsias e dos tormentos; depois do instantâneo conforto que vem dessa voz, a alma sente-se cair em uma amargura mais impiedosa e a largos goles sorve o cálice da amargura, sem nenhum conforto e inconsciente do porquê e por quem sofre.

Meu Deus! Levai-me ao arrependimento, restringi-me à sincera contrição e à sólida conversão do coração em vós.

Pai, recomende-me a Deus e faça-me recomendar para que eu não tenha mais que prevaricar.

Pai, por último venho pedir-lhe, pelo amor de Jesus, que me poupe, por agora, de ter que ir aí. Sinto-me muito mal física e

---

[5] O parágrafo seguinte em A. é este: "Não querendo dar meu consentimento para a morte assim antes; mas, sem querer ou saber, eu ignoro, esforçar-me para divertir os olhos e a mente em outro lugar, os quais estavam concentrados neste lutuosíssimo quadro".
[6] Aqui termina a parte da carta idêntica à de 6 de setembro enviada a padre Agostino.

moralmente e impotente para enfrentar essa viagem. Por caridade, não queira torturar mais a vítima sob o aspecto do bem. Jesus lhe pagará. Eu prometi ir e manterei a promessa, mas agora estou impossibilitado.

Beijo-lhe a mão e lhe peço a bênção.

Frei Pio, capuchinho.

Carta 16

"A SANTA OBEDIÊNCIA, QUE ERA A ÚLTIMA VOZ [...]"

Diante das provas do mal, podem existir ânsias, tormentos, talvez amargura e até mesmo decadência do espírito, mas nunca deve diminuir, segundo padre Pio, a "santa obediência", que significa sapiência evangélica de cumprir a vontade de Deus uniformizando-se ao modelo proposto por Jesus (Jo 6,38). Modelo que persegue três critérios: cumprir a vontade do Pai sem um projeto próprio, deixar de antecipar a própria vontade à de Deus e, sobretudo, cumpri-la ponto por ponto como o "sim" dito, na história, ao Espírito Santo [505].

San Giovanni Rotondo, 6 de setembro de 1918.
I.M.I.D.F.C.

Meu caríssimo pai,
Que Jesus esteja sempre com o senhor e lhe pague tudo o que faz para a minha alma!
Recebi a sua carta; cheio de reconhecimento e gratidão, agradeço-lhe o que nela disse.[1]

---

[1] Como foi dito antes, essencialmente é a mesma carta endereçada a padre Benedetto, em 5 de setembro. Reportamos já em nota as variantes mais significativas; agora transcrevemos apenas a conclusão, que é própria desta carta.

O que aconteceu? Tenho frequentemente satanás perto de mim com as suas vivazes tentações, e eu olho tudo, sempre inerte, pois sinto-me impotente sempre para saber libertar-me com uma vontade que eu desejaria enérgica.

O assalto avança, avança e avança sempre e me golpeia ao meio. A santa obediência, que era a última voz restante para manter sólida a fortaleza decadente, é também colocada em jogo. Meu Deus!... O que acontecerá com esta vossa criatura?

As assegurações submergem na fúria das ânsias e dos tormentos, pois aquele que é onipotente sabe destruir a luz e as impressões de conforto, justamente porque a alma deve estar no tormento, e, depois da gota de mel, é levada a aproximar os seus lábios do cálice da suprema amargura para continuar a sorvê-lo até o fim.

Cumpram-se, ó Deus-Amor, os vossos eternos e justos decretos sobre vossa criatura, mas deixai para ela a força de esperar contra *spem*!

Pai, termino. Não tenho mais força para continuar.

Recomende-me a Jesus, que o mesmo faço eu assiduamente pelo senhor; peço-lhe que fique tranquilo, pois Jesus está contente com o senhor e a prova chega a seu final.

Retribua por mim os cumprimentos ao doutor. Comprazo--me e agradeço a Deus essa bela companhia que lhe enviou. Ele é verdadeiramente um bom filho; mas também os bons filhos, algumas vezes, desagradam à vontade paterna. Também ele arriscou a graça por um excesso cometido em um momento de extrema prova.[2]

Abençoe-me sempre.

Afeiçoadíssimo,
frei Pio, capuchinho.

---

[2] Trata-se evidentemente do doutor Luigi Romanelli.

CARTA 17

"DEUS NÃO CICATRIZA AS CHAGAS ANTIGAS E ABRE NOVAS."

Com o terceiro período, iniciam-se agora todas as cartas escritas somente de San Giovanni Rotondo. A exposição do que o jovem capuchinho experimenta do amor de Deus goza de uma clareza teológica processual. O nosso santo sabe, de fato, que Deus "não dá tempo ao tempo" quando ama, pois, mesmo quando esconde sua presença, não o faz, no entanto, com os sinais dela, que para padre Pio já se constituem nas "chagas antigas" mediante as quais Deus abre, nele, as "novas" [508].

San Giovanni Rotondo, 17 de outubro de 1918.
J.M.J.D.F.C.

Meu caríssimo pai,
Que Jesus, sol da justiça, brilhe sempre sobre o seu espírito!
Estou de volta ao senhor depois de passado um longuíssimo tempo no silêncio; o senhor me perdoará certamente, sabendo que isso não foi causado por negligência ou descuido, mas por impotência absoluta. Estive de cama também por causa da gripe espanhola, que também aqui causa muitas mortes. Eu desejei

muito que o Senhor me tivesse chamado a si, mas fui por ele reenviado à minha mísera existência para a luta do tempo.

    Passei e passo horas terríveis e tristes; físico e moral já me dão a morte a todo momento. Deus é indiferente a meu espírito! Ó bem de minha alma, onde estais? Onde vos escondestes? Onde vos reencontrar? Onde vos buscar? Não vedes, ó Jesus, que a minha alma quer vos sentir a todo custo? Busca-vos em todo lugar, mas não vos encontra senão na plenitude de vosso furor, enchendo-a de um extremo tormento e amargura, dando-lhe a entender o quanto a vós se destina e o quanto a vós pertence. Quem consegue exprimir a gravidade de minha posição?! O que compreendo ao reflexo de vossa luz, não consigo dizer com a linguagem humana; quando tento balbuciar algo, a alma reconhece ter errado e estar mais do que nunca distante da verdade dos fatos.

    Meu bem! Estou privado de vós para sempre? Tenho vontade de gritar e de me lamentar com voz superlativamente forte, mas estou fraquíssimo, e as forças não me acompanham. No entanto, o que eu farei se não ascender ao vosso trono este lamento: Meu Deus, meu Deus, por que me abandonastes?

    A minha alma é toda voltada para o quadro claro de minha miséria! Meu Deus! Que eu suporte tal lutuosa vista: retirai de mim o teu raio refletido, pois eu não suporto tão aberto contraste. Meu pai, eu vejo toda a minha maldade e a minha ingratidão em todo o seu esplendor: vejo o antigo homem danado escondido em si mesmo; parece-me querer retribuir a Deus a sua ausência, negando-lhe seus direitos, que lhe são de mais estreito dever. E que força é preciso fazer para ajudá-lo! Meu Deus! Logo que chegardes em meu socorro, eu temo a mim mesmo, pérfida, ingrata criatura para seu Criador, que a protegeria dos seus poderosos inimigos.

"DEUS NÃO CICATRIZA AS CHAGAS ANTIGAS E ABRE NOVAS."

Não soube valer-me de vossos tão altos favores; agora me vejo condenado somente a viver em minha incapacidade, recurvado sobre mim mesmo, em ato de desencaminhamento, e a vossa mão vai pesando cada vez mais sobre mim. Ai de mim! Quem me libertará de mim mesmo? Quem me tirará deste corpo de morte? Quem me estenderá uma mão para que eu não seja envolvido nem engolido pelo vasto e profundo oceano? Será necessário que eu me resigne a ser envolvido pela tempestade que acossa sempre mais? Será necessário que eu pronuncie o *fiat*! ao olhar para aquele misterioso personagem que me feriu todo e que não desiste da dura, áspera, aguda e penetrante operação, e não dá tempo ao tempo para que cicatrizem as antigas chagas, já que sobre estas abre novas com infinito tormento para a pobre vítima?

Ó meu pai, venha em meu socorro, por caridade! Todo o meu interior chove sangue, e, muitas vezes, o olho é levado a resignar-se em vê-lo escorrer também exteriormente. Oh! Tire de mim este tormento, esta condenação, esta humilhação, esta confusão! Não depende do espírito poder e saber resistir.

Quanto eu gostaria, meu pai, de ainda lhe contar, mas a plenitude da dor me sufoca, torna-me mudo. Use a caridade de sua solícita resposta e esteja certo de que lhe agradecerei e rezarei sempre pelo senhor.

Abençoe-me sempre.

Frei Pio, capuchinho.

CARTA 18

"[...] PERCEBO [...] UMA COISA PARECIDA COM UMA LÂMINA DE FERRO [...]"

O fenômeno da verdadeira e própria estigmatização já aconteceu no corpo de padre Pio, como é descrito na primeira carta. Já se passaram três precisos meses, embora neste escrito padre Pio fale, enganando-se, do dia "20 de outubro". Ele revê pela terceira vez a aparição daquele misterioso personagem, que se apresentou a ele anteriormente em pleno verão, em 5 de agosto, justamente na vigília da festa litúrgica da Transfiguração do Senhor Jesus sobre o santo monte. E sente uma lâmina... [515].

San Giovanni Rotondo, 20 de dezembro de 1918.
J.M.J.D.F.C.

Meu caríssimo pai,
Que o Menino de Belém esclareça sempre o seu coração, enchendo-o de todos os celestes carismas!
Estou de volta ao senhor com o espírito transbordante de dolorosa amargura. Um fogo devorador me invade por inteiro e me mantém um doloroso delíquio. As densas trevas me en-

volvem todo; uma força poderosíssima quase invisível me destrói; enquanto tento recolher os resíduos dispersos das minhas faculdades, tudo volta a se perder e é esmagado e anulado inteiramente.

Meu Deus! Estou em vós em profunda confusão; em vós que sois o que sois. Eu... um nada mesquinho, digno somente do vosso desprezo e da vossa compaixão; mas... reflito que tenho de me haver com Deus, que é meu. Ah!, sim, e quem quer negar?

Relendo, meu pai, as suas repetidas assegurações e exortações,[1] eu me admiro, na impossibilidade de penetrar mais, como gostaria; eu me pergunto se em meu crer, sem percebê-lo, possa existir algo que seja prejuízo para o espírito, se há falta da uniformidade querida por Deus.

Ai de mim! Os sentimentos suscitados em mim a esse propósito tocam dois extremos, embatem-se entre si e reduzem a alma à quase impotência de reagir, mantendo-a no mais duro martírio, dia e noite.

Ai de mim! Onde me encontro? O que acontece comigo? Deus, onde poderei encontrar-vos?[2] O meu Deus onde está? É um cerco ilimitado, que me reduz sempre ao mesmo círculo vicioso. Não compreendo a sua sugestão de deixar acontecer mesmo quando não me é permitido. Faça-me a caridade de explicar-me.[3]

Pai, quando terá fim o tormento que sinto no espírito e no corpo, em virtude da operação ocorrida e que perdura sempre? Meu Deus, meu pai, eu não aguento mais! Sinto-me morrer mil vezes a cada instante. Sinto-me ser devorado por uma força misteriosa, íntima e penetrante que me mantém sempre em um doce, mas dolorosíssimo delíquio.

---

[1] A. acrescenta: e aquela ainda feita pelo provincial.
[2] A. om.: "Deus [...] encontrar-vos".
[3] A. om.: "A vossa sugestão [...] explicar-me".

> "[...] PERCEBO [...] UMA COISA PARECIDA COM UMA LÂMINA DE FERRO [...]"

O que é isso? Lamentar-se com Deus por tanta dureza, é culpa? E, se é culpa, como se faz para sufocar esses lamentos quando uma força, à qual não se pode resistir, me leva a lamentar-me ao doce Senhor, sem poder frear de maneira nenhuma?

Há muitos dias, percebo em mim uma coisa parecida com uma lâmina de ferro, que se estende da parte inferior do coração até a parte direita das costas, em linha transversal. Causa-me dor muito aguda e não me dá descanso algum. O que é isso?

Comecei a perceber esse fenômeno novo depois de uma aparição daquele frequente personagem misterioso dos dias 5 e 6 de agosto e do dia 20 de outubro,[4] do qual falei, caso o senhor se lembre em outras cartas minhas.

Diga-me tudo em sua resposta e me tranquilize.

Para as próximas[5] festas de Jesus Menino, desejo que o seu coração seja o berço florido dele, no qual ele possa se deitar sem incômodo algum e nada provar do *Exivi a Patre et veni in mundum*.[6]

Beijo-lhe a mão com veneração e respeito grandíssimo e, pedindo-lhe a santa bênção, digo,

seu afeiçoadíssimo filho,

frei Pio, capuchinho.

---

[4] Evidentemente se refere ao dia 20 de setembro, mas, tanto na carta a padre Benedetto como na cópia endereçada a padre Agostino, lê-se "20 de outubro"; antes, nesta segunda, havia escrito "setembro" e depois substituiu por "outubro".
[5] A.: "próximas", apagado.
[6] Jo 16, 28.

Carta 19

"[...] AS MINHAS FORÇAS, QUE SÃO INCAPAZES [...] DE MANTER POR PERTO [...] O AMANTE DIVINO."

A medida do amor divino oferecido com o dom dos estigmas a padre Pio supera os limites humanos e a própria capacidade de limitação de nosso santo. Por outro lado, justamente por não poder conter tudo, padre Pio teme até mesmo perder o amor e se empenha em manter-se perto, perto do amante divino. Teologicamente, este último é identificado, sem dúvida, na pessoa de Jesus Cristo glorificado, em contato com o qual — aqui se fala também de "abraços do amado" — padre Pio desmaia, isto é, entra em uma transitória perda de consciência [519].

San Giovanni Rotondo, 12 de janeiro de 1919.[1]
J.M.J.D.F.C.

Meu caríssimo pai,
Que Jesus continue a ter o senhor no céu, como o senhor o tem em suas mãos sacramentalmente todos os dias!

---

[1] A mesma carta foi enviada a padre Agostino. Ao pé da página, reportamos as variantes com a sigla A.

Estou tremendo novamente diante do senhor. Mas por que tremo? Vejo-me na quase absoluta impossibilidade de poder exprimir a operação do Amado. O infinito amor, na imensidão de sua força, subjugou finalmente a dureza de minha alma, e vejo-me anulado e reduzido à impotência.

Ele vai se dirigindo todo ao pequeno recipiente desta criatura, que sofre um martírio indizível e sente-se incapaz de carregar o peso desse imenso amor. Ai de mim! Quem virá me levantar? Como farei para carregar o infinito no meu pequeno coração? Como farei para restringi-lo sempre à apertada cela de minha alma?

A minha alma vai se destemperando de dor e de amor, de amargura e doçura ao mesmo tempo. Como farei para suportar a tão imensa[2] operação do Altíssimo? Eu o tenho em mim e é por motivo de exultação que me leva irresistivelmente a dizer com a Virgem Santíssima: "*Exultavit spiritus meus in Deo salutari meo*".[3]

Eu o tenho em mim e sinto tudo[4] e sinto toda a força para dizer com a esposa do sagrado Cântico: "*Inveni quem diligit anima mea... Tenui eum et non dimittam*".[5] Mas, quando me vejo incapaz de sustentar o peso desse amor[6] infinito, de restringi-lo à pequenez de minha existência, sinto-me completamente aterrorizado por ter de, talvez, deixá-lo por incapacidade de poder contê-lo na apertada casinha de meu coração.

Esse pensamento, que de resto não é infundado (meço as minhas forças, que são limitadíssimas, incapazes e impotentes de manterem para perto sempre o amante divino), me tortura e aflige, e sinto o coração romper-se do peito.

---

[2] A. acrescenta: e dura.
[3] Lc 1,47.
[4] A. *om.*: tudo e sinto.
[5] Ct 3,4.
[6] A.: amante.

> "[...] AS MINHAS FORÇAS, QUE SÃO INCAPAZES [...] DE MANTER POR PERTO [...] O AMANTE DIVINO."

Meu pai, não posso sobreviver a essa dor:[7] em sua reincidência me sinto aniquilado, sinto diminuir a vida, e não saberia[8] dizer-lhe se vivo ou não nesses momentos. Estou fora de mim. Um misto de dor e doçura se contrastam ao mesmo tempo e reduzem a alma a um doce e amargo desmaio.

Os abraços do escolhido, que então se sucedem à grande profusão, diria quase sem repouso e sem medida, não conseguem extinguir dela o agudo martírio de se sentir incapaz de carregar o peso de um amor infinito. E é justamente nesses períodos, que[9] são quase contínuos, que a alma profere frases a esse amante divino, que me causa horror proferi-las quando estou em mim mesmo.

Ó pai, diga-me sinceramente: Jesus não se ofende com essas expressões que são de ressentimento contra o seu amor? Gostaria de não proferi-las, nem de ouvi-las, mas uma força misteriosa me leva, e não se tem nem tempo nem força para resistir a essa força. Meu Deus, o que farei para remediar isso, se é um mal?

Ó meu pai, já não seria tempo de deixar em paz o seu filho? Para que, portanto, se ocupar ainda mais dele, quando o viver é pior que a própria morte? Ó pai, cesse de ser tão cruel.

Espero uma longa carta sua, e logo.

Beijo-lhe a mão com respeito e, pedindo-lhe que me abençoe, assino.

Seu filho,
frei Pio.

Enviei-lhe o lencinho.[10] O senhor o recebeu?

---

[7] A.: sobreviver a esse cruel martírio.
[8] A. acrescenta: verdadeiramente.
[9] A. acrescenta: de resto.
[10] Trata-se de um "lencinho" usado para enxugar o sangue que escorria dos estigmas.

CARTA 20

"QUE ESPINHO SINTO SER CRAVADO EM MEU CORAÇÃO!"

Dada a peculiar riqueza teológico-especulativa, também esta outra carta merecerá um aprofundamento posterior no futuro. Está aqui, de fato, a afirmação de que o pecado é essencialmente a racional e moral "justificação no mal, a despeito do sumo bem", exatamente como diz a Sagrada Escritura (Sl 36,3). Padre Pio, pois, não se sente mais dividido entre oferecer-se como vítima pelos irmãos no exílio (do pecado) e querer morrer pelo Esposo, mas une a dupla motivação "na supremacia do espírito" [562].

San Giovanni Rotondo, 8 de outubro de 1920.
I.M.I.D.F.C.

Meu caríssimo pai,
Que Jesus seja a estrela que guia sempre todos os nossos passos ao longo do deserto da vida presente e logo nos faça aportar no porto da saúde!
Com esse voto muito sincero e cordial, que assiduamente faço a Jesus pelo senhor e por mim, venho dar resposta à sua carta de 27 de setembro,[1] entregue a mim há poucas horas pelo padre

---
[1] Carta não encontrada.

guardião, na firme esperança de que Jesus aceite os gemidos da alma que nele põe todo o cuidado de si mesma e das almas por ela queridas.

O que lhe dizer do meu espírito? Vejo-me posto na extrema desolação. Estou sozinho, carregando o peso de todos e o pensamento de não poder levar o alívio espiritual àqueles que Jesus me manda: o pensamento de ver tantas almas que vertiginosamente querem justificar-se no mal, a despeito do sumo bem, me aflige, tortura, martiriza, consome o cérebro e me dilacera o coração.

Ó Deus! Que espinho sinto ser cravado em meu coração! As duas forças que aparentemente parecem extremamente contrárias — a de querer viver para ajudar os irmãos exilados e a de querer morrer para unir-me ao Esposo —, nesses últimos tempos, as sinto engrandecerem-se superlativamente na supremacia do espírito. Dilaceram-me a alma e me tiram a paz, não íntima, da alma, mas sim aquela paz que tocamos, digamos assim, apenas de fora, mas que sei ser-me muito necessária para poder agir com mais doçura e mais unção.

Ah! Meu pai, meu pai, não me deixe sozinho, socorra-me com a oração e com as suas orientações. Digo-lhe que me sinto [uma] solidão que me tira a calma e o repouso, e também o apetite. Assim sendo, digo que se está às vésperas de uma grande crise, já que percebo que também o físico vai sofrendo as operações do espírito, e eu temo mais aquele do que este, não por mim, mas única e exclusivamente pelos outros.

E como está o senhor? Alegro-me porque goza se não de perfeita paz, ao menos da doce resignação à vontade divina. Todas as almas a nós unidas no espírito de Jesus e eu não deixamos nunca de rezar pelo senhor e por todas as suas intenções.

Na esperança de receber logo notícias suas, beijo-lhe a mão com duplicada veneração, com o conforto da sua paterna bênção.

Padre Pio.

_____ CARTA 21 _____

"A CRENÇA NA AUTORIDADE NÃO FALTA [...]"

Para padre Pio, 1920 não foi certamente um ano a ser lembrado de maneira positiva, nem mesmo o anterior. Depois das visitas médicas de 1919, de fato, o doutor Giorgio Festa, acompanhado pelo professor Luigi Romanelli, médico-chefe do hospital civil de Barletta, repete a visita às estranhas feridas que apareceram no ano anterior, enquanto em abril de 1920 passou por San Giovanni Rotondo também o cético padre Agostino Gemelli, ofm, que, no entanto, não conseguiu examinar pessoalmente os estigmas [569].

San Giovanni Rotondo, 18 de dezembro de 1920.
J.M.J.D.F.C.

Meu caríssimo pai,
Que Jesus lhe seja sempre, em tudo, escolta, sustento e guia!
Que, na feliz comemoração do santo Natal de Jesus Menino, lhe cheguem agradáveis votos de perene bem-estar e eterna felicidade espiritual.

Essa é a síntese dos votos que farei pelo senhor diante do berço de Jesus Menino naqueles santos dias. Que agrade a ele conceder-lhe todos.

O senhor, no entanto, não deixe de recomendar-me e de fazer-me recomendar a Jesus Menino, para que me faça cumprir sempre a sua vontade e se cumpram sobre mim os seus divinos planos.

A tempestade da qual eu falei em viva voz[1] enfurece sempre mais. A crença na autoridade não falta, e os esforços que fiz para ater-me a ela aumentam a ponta dos espinhos que me diláceram vivamente o coração.

Meu pai, que funestos e lúgubres dias se apresentam para mim, em minha mente! Que horrível Natal será para mim este ano!

Estou pronto para tudo, para que Jesus esteja contente e salve as almas dos irmãos, especialmente aqueles que ele me confiou.

Beijo-lhe a mão com veneração grandíssima e lhe peço a paterna bênção.

Seu pobre filho,
padre Pio de Pietrelcina.

---

[1] Alude certamente ao encontro tido com padre Benedetto, quando foi levado a Barletta para a Festa da Imaculada.

Carta 22

"SENHORA DOÇURA PARECE ESTAR UM POUCO MELHOR [...]"

Utilizando a nomenclatura franciscana de "Senhora" aplicada às várias virtudes, padre Pio confessa a padre Benedetto que, entre todas, por seu temperamento, ele considera a doçura de caráter. Para obtê-la, por um lado pede com fé, orando a Jesus e Maria. Por outro, aplica-se ao exercício da assídua meditação, como ensina a mais autêntica ascese cristã do espírito [609].

San Giovanni Rotondo, 23 de outubro de 1921.
J.M.J.D.F.C.

Meu caríssimo pai,

Que Jesus esteja sempre com o senhor, transforme-o todo com a sua santa graça e o torne sempre mais digno das divinas promessas!

Ontem à noite, logo que recebi a sua cartinha[1] com o salame, apressei-me em responder-lhe para agradecer tanta ternura pa-

---
[1] Carta à qual não temos acesso.

terna que reconheço cada vez mais não merecer, à medida que crescem os seus cuidados.

Escute, pai, estou bastante envolvido pelo terno afeto que me dedica; portanto, peço-lhe a caridade de não me confundir, enviando-me tão boa mercadoria, especialmente se privando dela; peço-lhe apenas a caridade de ser sempre ajudado por seu conselho e com a sua oração. Além disso, não tenho necessidade, e, se ainda a tivesse, posso muito prescindir dela.

O senhor disse que eu estive prestes a pensar apenas em mim. Não sei se e quando o disse e para quem o disse. De qualquer modo, se, no entanto, o disse, garanto-lhe, meu pai, que não foi dito no sentido compreendido pelo senhor. O meu agir é prova disso. Trabalhei, quero trabalhar; rezei, quero rezar; vigio, quero vigiar; chorei e quero chorar sempre por meus irmãos exilados.

Sei e compreendo que é pouco, mas é o que sei fazer; isso sou capaz de fazer e é tudo o que eu sou capaz de fazer.

Por caridade, não me julgue com tanto rigor. Jesus é tão bom, não é tão rigoroso e exigente como o vejo no senhor. Seja indulgente com todas as máximas pelas quais se consagrou sem reserva alguma por Jesus e pelas almas.

Senhora doçura parece estar um pouco melhor, mas nem mesmo eu estou satisfeito. Contudo não quero desanimar. São tantas, meu pai, as promessas que fiz a Jesus e a Maria! Eu quero essa virtude mediante a sua ajuda e, em troca, além de manter as outras promessas feitas a ele, prometi ainda transformá-lo em objeto das minhas assíduas meditações e ainda assíduo sujeito das minhas sugestões às almas.

Veja, portanto, pai, que não permaneço indiferente na prática dessa virtude. Ajude-me com as suas orações e as de outros.

Quanto ao Convento de San Marco,[2] não se preocupe. Jesus não permitirá que o percamos. Verdadeiramente digo isso não porque tenha tido um sinal sobrenatural, mas com a íntima convicção de que o convento ficará para nós.

Estou ocupado e continuo ocupando-me muito bem da publicação do seu trabalho.[3] Diga-me a quem devo entregar as ofertas obtidas pela dita obra.

Beijo-lhe a mão com respeito e peço a caridade das suas orações e o conforto da sua paterna bênção.

Padre Pio, capuchinho.

---

[2] O Convento de San Marco la Catola foi alugado aos capuchinhos pela Administração Municipal até 8 de setembro de 1922; antes que vencesse o contrato de locação, já da parte do município em 28 de janeiro de 1920, requeria-se o convento e não a renovação do aluguel. Os superiores provinciais diziam ser desagradável não poder atender ao pedido, também porque seria difícil encontrar outro edifício apto à sua missão. Nada foi feito e o convento ficou para os capuchinhos.

[3] Trata-se das conferências para a juventude.

CARTA 23

"[...] E NELE ME SINTO SEMPRE TRANQUILO [...]"

Termina com esta carta a enumeração descritiva feita sobre os estigmas com o próprio *Epistolário* de padre Pio. Neste último fragmento, de fato, o santo estigmatizado delimita o compêndio de toda a sua vida espiritual alcançada mediante o itinerário místico: ser "devorado pelo amor de Deus e pelo amor do próximo". E de Deus, cuja imagem é fixo em sua mente e impresso em seu coração, o santo de Gargano admira "a sua beleza, os seus sorrisos"[611].

San Giovanni Rotondo, 20 de novembro de 1921.
J.M.J.D.F.C.

Meu caríssimo pai,
Que Jesus seja sempre todo seu, assista-o sempre com a sua cautelosa graça e o faça santo!
É possível, pai, que o senhor não esteja contente com o seu valor? Jesus o ama com muita predileção, contra cada demérito seu, faz descer abundância de graças sobre o senhor, e o senhor se lamenta. Seria tempo de acabar e começar a persuadir-se de que

está devendo muito a nosso Senhor; portanto, menos lamento e mais gratidão e muito rendimento de graças.

Uma só coisa deve pedir a nosso Senhor: amá-lo. E, em todo o resto, agradecer-lhe.

Agora vamos ao que diz respeito a mim. Confesso, antes de tudo, que, para mim, é uma grande desgraça não saber exprimir e colocar para fora todo este vulcão sempre aceso que me queima e que Jesus colocou neste coração tão pequeno.

Tudo se resume a isto: sou devorado pelo amor de Deus e pelo amor do próximo. Deus, para mim, está sempre fixo na mente e impresso no coração. Nunca o perco de vista: comove-me admirar a sua beleza, os seus sorrisos, as suas perturbações, as suas misericórdias, as suas vinganças, ou melhor, os rigores de sua justiça.

Imagine o senhor por quais sentimentos é devorada a pobre alma com toda esta privação de liberdade própria, com toda esta ligação de poderes tanto espirituais quanto corporais.

Creia em mim, pai, que os ímpetos, que às vezes tive, são causados justamente por esta dura prisão; denominemo-la, no entanto, de afortunada.

Como é possível ver que Deus se entristece com o mal e não se entristecer também? Ver que Deus está a ponto de descarregar os seus raios, e para pará-lo outro remédio não existe a não ser elevar uma mão para impedir o seu braço, concitar com a outra os próprios irmãos, por um duplo motivo: que joguem fora o mal e que se afastem, logo, do lugar onde estão, pois a mão do juiz está prestes a cair-se sobre eles?

Creia, no entanto, que neste momento o meu interior não está[1] agitado nem minimamente alterado. Não sinto outra coisa a não ser ter e querer aquilo que Deus quer. E nele me sinto sempre

---

[1] Na autografia: não resta.

tranquilo, ao menos sempre interiormente; no exterior, às vezes um pouco indisposto.

E para os irmãos? Ai de mim! Quantas vezes, para não dizer sempre, digo a Deus juiz, com Moisés: perdoai-lhes o pecado, senão riscai-me do livro que escrevestes.[2]

Que coisa horrível é viver de coração! É preciso morrer em todos os momentos de uma morte que não faz morrer senão para viver morrendo e, morrendo, viver.

Ai de mim! Quem me libertará desse fogo devorador?

Reze, meu pai, para que venha uma torrente de água para me refrigerar um pouco dessas chamas devoradoras que queimam em meu coração sem nenhuma trégua.

Abençoe-me sempre e recomende-me à piedade divina, como em todos os momentos eu fiz pelo senhor.

O seu obediente filho,
padre Pio, capuchinho.

---

[2] Cf. Ex 32,31-32.

BIBLIOGRAFIA

O breve elenco bibliográfico que segue não tem a pretensão de ser exaustivo, mas deseja indicar um percurso de aprofundamento e pesquisa posterior para o conhecimento da figura do capuchinho padre Pio. É, portanto, um convite à leitura para facilitar a orientação e a escolha do leitor, tanto em referência a este livro como a toda a coleção.

Fontes

CAPOBIANCO, Costantino. *Detti e aneddoti di Padre Pio*. San Giovanni Rotondo, Edizioni Padre Pio da Pietrelcina, 1973.
D'APOLITO, A. *Padre Pio da Pitrelcina*. Ricordi, esperienze, testemonianze. San Giovanni Rotondo, Edizioni Padre Pio da Pietrelcina, 1986.
DA CASALENDA, Vicenzo (Org.). *Padre Pio da Pietrelcina*. Testemonianze. San Giovanni Rotondo, Edizioni Padre Pio da Pietrelcina, 1969.
DA POBLADURA, Melchiorre & DA RIPABOTTONI, Alessandro (Orgs.). *Padre Pio da Pietrelcina*. Epistolario. San Giovanni Rotondo, Edizioni Padre Pio da Pietrelcina, 1973. Vv. 1-5.
DA SAN MARCO IN LAMIS, Agostino. *Diario*. San Giovanni Rotondo, Edizioni Padre Pio da Pietrelcina, 1971.
DI FLUMERI, G. (Org.). *Componimenti scolastici*. San Giovanni Rotondo, Edizioni Padre Pio da Pietrelcina, 1983.
SANTA SÉ. *Congregatio de Causis Sanctorum, Sipontina. Beatificationis et Canonizationis Servi Dei Pii a Pietrelcina sacerdotis professi, ofm cap. Informatio super virtutibus* Francesco Forgione. Città del Vaticano, Pietrelcina/ San Giovanni Rotondo, 1987/1968/1997. vv. 1-5.

Monografias

ALIMENTI, D. *Padre Pio.* Gorle, Velar, 1993.
ALLEGRI, R. *Padre Pio.* Milano, Mondadori, 1989.
_____. *Padre Pio, um santo tra noi.* Milano, Mondadori, 1998.
BIAGI, E. (Org.) *Padre Pio.* Milano, Rizzoli, 1968.
BOSCO, T. *Padre Pio.* Leumann, Elle Di Ci, 1995.
CAMILLERI, C. *Padre Pio da Pietrelcina, nella vita, nel mistero, nel prodigio.* Città di Castello, Leonardo da Vinci, 1952.
CARTA, P. *La mia testemonianza per Padre Pio.* San Giovanni Rotondo, Voce di Padre Pio, 1979.
CHIOCCI, F. & CIRRI, L. *Padre Pio, storia di uma vittima.* Roma, I Libri del NO, 1967. vv. 1-3.
_____. *Padre Pio non è morto.* Roma, Gallo Rosso, 2000.
CIRRI, L. *Padre Pio e i papponi di Dio.* Milano, Del Borghese, 1983.
DA FARA, Lorenzo. *Padre Pio da Pietrelcina e il suo mondo spirituale.* Vigo-darzere, Progetto Editoriale Mariano, 2001.
_____. *Padre Pio.* Una vita tra preghiera, sofferenza e carità. Gorle, Velar, 2001. vv. 1-3.
DA POBLADURA, Melchiorre. *Alla scuola di spiritualità di Padre Pio da Pietrelcina.* San Giovanni Rotondo, Edizioni Padre Pio da Pietrelcina, 1997.
_____. *Problematica della direzione spirituale nell'Epistolario di Padre Pio.* San Giovanni Rotondo, Edizioni Padre Pio da Pietrelcina, 1980.
DA RIESE PIO X, Fernando. *Padre Pio da Pietrelcina, crocefisso senza Croce.* Roma, Postulazione Generale dei Capuccini, 1975.
DA RIPABOTTONI, Alessandro. *Molti hanno scritto di lui.* Bibliografia su Padre Pio da Pietrelcina. San Giovanni Rotondo, Edizioni Padre Pio da Pietrelcina, 1986. vv. 1-2.
_____. *Padre Pio da Pietrelcina*: il Cireneo di tutti. San Giovanni Rotondo, Edizioni Padre Pio da Pietrelcina, 1994.
DE ROBECK, N. *Padre Pio, apostolo della carità.* Roma, Officium Libri Catholic, 1964.
DE SANTIS, F. *Padre Pio.* Milano, Longanesi, 1966.
DI RAIMONDO, F. *Padre Pio e Madre Teresa.* Roma, Borla, 2001.

ENNEMOND, B. *Padre Pio de Pietrelcina, vie, oeuvres, passion*. Essai Historique. Ligugén, La Table Ronde, 1966.

GASPARI, L. *I Quaderni dell'amore. Padre Pio mi há detto... nell'aprile 1968 "chiamerai i Quaderni testamento. Promessa di grazie Che si doneranno attraverso lo spirito di queste parole – allo spirito degli uomini – Che lê accoglieranno con tutto l'amore Del cuore"*. Rovigo, Istituto Padano di Arti Grafiche, 1969.

KIESLER, B. M. *Padre Pio*. Leutesdorf, Katholische Schriftenmission, 1968.

LEONE, G. (Org.). *Padre Pio e la sua opera*. San Giovanni Rotondo, Casa Sollievo della Sofferenza, 1981.

_____. *El Padre Pio*. San Giovanni Rotondo, Casa Sollievo della Sofferenza, 1975.

LERCARO, G. *Padre Pio da Pietrelcina*. Roma, Éditions du Coeur Fidèle, 1969.

MANELLI, S. *Padre Pio*. Padova, Messaggero, 1980.

MASCI, M. *Padre Pio, cinquant'anni di sangue e di storia*. Roma, Epica, 1966.

MCCAFFERY, J. *Padre Pio, histórias e memórias*. São Paulo, Loyola.

ORSO, A. *Padre Pio*. Roma, Jone, 1993.

_____. *Padre Pio [da Pietrelcina]*. Genova, AID, 1963.

_____. *Padre Pio da Pietrelcina*. Roma, G. Berlutti, 1926.

_____. *Padre Pio da Pietrelcina*. San Giovanni Rotondo, Edizioni Padre Pio da Pietrelcina, 1970.

PALUMBERI, S. *Padre Pio e il mondo d'oggi*. San Giovanni Rotondo, Casa Sollievo della Sofferenza, 1989.

_____. *Padre Pio, questo innamorato dell'amore*. San Giovanni Rotondo, Casa Sollievo della Sofferenza, 1972.

PANDISCIA, A. *Un contadino cerca Dio*. Cinisello Balsamo, San Paolo, 2001.

PASQUALE, G. Padre Pio: vita e spiritualità della sofferenza vissuta cristianamente. *Studi Francescani* 97, (2000), 117-130.

PERONI, L. *Padre Pio da Pietrelcina*. Roma, Borla, 1991.

PREZIUSO, G. *Padre Pio un martire*. Lucera, Sveva, 1996.

_____. *Padre Pio*. Apostolo del confessionale. Cinisello Balsamo, San Paolo, 1998.

SCARVAGLIERI, G. *Pellegrinaggio ed esperienza religiosa*. San Giovanni Rotondo, Edizioni Padre Pio da Pietrelcina, 1987.

SCOCCA, V. *Padre Pio*. Benevento, La Sacrana, 1997.

SIENA, G. *Padre Pio. Questa é l'ora degli angeli*. San Giovanni Rotondo, L'Arcangelo, 1977.

WINOWSKA, M. *Il vero volto di Padre Pio*. Cinisello Balsamo, San Paolo, 1999.

Sobre os estigmas de Padre Pio

CARTY, C. M. *Padre Pio le stigmatisé*. Trad. do inglês. Paris, La Colombe, 1953.

CHIRON, Y. *Padre Pio, le stigmatisé*. Paris, Perrin, 1989.

DEL FANTE, A. *Per la storia, il primo sacerdote stigmatizzato e fatti nuov*. Foggia, L. Cappetta, 1969.

DI FLUMERI, G. (Org.). *Atti del Convegno di studio sulle stimmate del Servo di Dio Padre Pio da Pietrelcina*, San Giovanni Rotondo, Spiritualità 2, 16-20 de setembro de 1987); San Giovanni Rotondo, Edizioni Padre Pio da Pietrelcina, 1988.

_____. *Le stigmate di Padre Pio da Pietrelcina*. San Giovanni Rotondo, Edizioni Padre Pio da Pietrelcina, 1985.

ENNEMOND, B. *Padre Pio le crucifié*; essai historique. Paris, Nouvelles Éditions Latines, 1971.

FESTA, G. *Misteri di scienza e luci di fede; le stigmate del Padre Pio da Pietrelcina*. Roma, V. Ferri, 1949.

MARTINDALE, M. M. Padre Pio da Pietrelcina. *The Month*, 7 (1952), n. 6, 348-357.

MASCI, M. *Padre Pio e gli altri stigmatizzat*. Roma, Panzironi, 1968.

PASQUALE, G. Padre Pio. Il Cappuccino com le stigmate. *Vita Consacrata*, 35 (1999), n. 5, 518-533.

_____. Pater Pio – der Kapuziner mit den Wundmalen. *Geist und Leben*, 73 (2000), 98-112.

SUMÁRIO

Prefácio 7

PARTE I – OS MEUS ESTIGMAS

Introdução: Homem marcado pelo amor 13

1. "Na manhã do dia 20 do mês passado [...]" 21
2. "As chamas pelas quais o meu coração
   é agitado nesses momentos [...]" 25
3. "[...] eu não me cansarei de rezar a Jesus." 27
4. "[...] tenho Jesus comigo; o que poderei temer?" 31
5. "[...] parece-me impossível que Jesus
   queira perder-me." 33
6. "No meio da palma das minhas mãos, apareceu
   um ponto vermelho [...]" 35
7. "[...] as consolações são [...] tão doces,
   que não consigo descrevê-las." 39
8. "O coração de Jesus [...] e o meu se fundiram." 41
9. "Sinto, meu pai, que o amor me dominará
   finalmente [...]" 45
10. "[...] senti o meu coração ser ferido por
    um dardo de fogo [...]" 49
11. "Jesus [...] me fez escutar [...]
    sua voz em meu coração [...]" 53
12. "Agora Jesus ofereceu esse cálice
    também a mim [...]" 57
13. "[...] nada preponderará contra aqueles
    que gemem sob a cruz [...]" 61

14. "Eu sou fiel; nenhuma criatura se
    perderá sem saber." 65
15. "Tenho grande vontade de servir a
    Deus com perfeição." 71
16. "Deus quer casar-se com a alma na fé [...]" 77
17. "O verdadeiro remédio [...]
    é apoiar-se na cruz de Jesus [...]" 81
18. "Sei que ninguém é puro diante do Senhor [...]" 85
19. "Rezo incessantemente ao divino
    Menino por todos [...]" 89
20. "[...] sou um crucificado do amor!
    Não aguento mais!" 91
21. "A minha crise é extremamente angustiante." 95
22. "Jesus me disse [...]" 97
23. "[...] sei muito bem que a cruz
    é o penhor do amor [...]" 101
24. "Ignoro o que quer dizer tudo isso para mim." 103

PARTE II – VÍTIMA PARA CONSOLAR JESUS

Introdução 107
1. "Meu Deus! Será verdade tudo aquilo
   que me anunciastes?" 117
2. "A inefável doçura que chove de vossos olhos [...]" ... 123
3. "Nunca confiei em mim mesmo [...]" 131
4. "Meu Pai, como é difícil o crer!" 137
5. "Quando o sol vai nascer em mim?" 141
6. "Encontrarei sempre a companhia
   de todas as almas [...]" 145
7. "A obediência é tudo para mim [...]" 149
8. "[...] vós vos deixareis ser visto um dia sobre Tabor,
   sobre o santo pôr do sol?" 153

9. "É verdade que tudo é consagrado a Jesus [...]" 159
10. "Sinto a minha alma despedaçar-se de dor [...]" 163
11. "[...] devemos sempre nos manter em Deus,
    com perseverança [...]" 167
12. "Amar ao meu Deus é consequência
    daquilo que é conhecimento pleno." 171
13. "Diga a Jesus para que eu não seja
    mais um tirano [...]" 181
14. "[...] na noite do dia 5, quando
    de repente fui tomado [...]" 187
15. "[...] a ferida que foi reaberta sangra [...]" 193
16. "A santa obediência, que era a última voz [...]" 199
17. "Deus não cicatriza as chagas antigas
    e abre novas." 201
18. "[...] percebo [...] uma coisa parecida com
    uma lâmina de ferro [...]" 205
19. "[...] as minhas forças, que são incapazes [...] de
    manter por perto [...] o Amante divino." 209
20. "Que espinho sinto ser cravado em meu coração!" 213
21. "A crença na autoridade não falta [...]" 215
22. "Senhora doçura parece estar
    um pouco melhor [...]" 217
23. "[...] e nele me sinto sempre tranquilo [...]" 221
Bibliografia 225

Rua Dona Inácia Uchoa, 62
04110-020 – São Paulo – SP (Brasil)
Tel.: (11) 2125-3500
http://www.paulinas.com.br – editora@paulinas.com.br
Telemarketing e SAC: 0800-7010081